D1279471

Les Meilleures Recettes

Les Meilleures Recettes

PUBLICATIONS INTERNATIONAL, LTD.

Publications International, Ltd.,

Page couverture : Tarte aux fruits printanière *(page 154).*

Couverture arrière *(du haut vers la droite)* : millefeuilles *(page 174)*, gâteau au fromage aux amandes et aux framboises *(page 202)*, espadon à la crème de poireau *(page 150)* et ravioli aux fruits de mer à la sauce tomage fraîche *(page 38).*

Éditions Phidal pour la traduction française.

ISBN: 0-7853-0546-7

Imprimé aux États-Unis.

Sommaire

Un mot au sujet de «PHILLY»

Les produits au fromage à la crème de MARQUE PHILADELPHIA... adaptés à la vie d'aujourd'hui.

Les mamans américaines et d'autres grand chefs ont cuisiné avec le fromage à la crème de MARQUE PHILADELPHIA depuis des générations, et le fromage à la crème «PHILLY» est demeuré le plus populaire en Amérique! Il s'agit de l'ingrédient par excellence pour une variété d'aliments, depuis les amuse-gueule et les plats d'accompagnement aux plats principaux et aux desserts. Les produits de fromage à la crème «PHILLY» ajoutent une touche d'élégance aux recettes les plus simples.

Les produits de fromage à la crème «PHILLY» peuvent si bien s'adapter à toutes les recettes qu'ils constituent un choix naturel pour la cuisine contemporaine. De consistance lisse et crémeuse, ils peuvent être tartinés, mélangés, fondus, cuits, ou peuvent simplement garnir votre plat favori. Et de nos jours, les produits au fromage à la crème «PHILLY» sont disponibles sous diverses formes pratiques pour répondre à tous vos besoins. Vous savez déjà que le fromage à la crème de MARQUE PHILADELPHIA a toujours été idéal pour la cuisine. Mais saviez-vous que vous pouvez lui substituer le fromage à la crème neufchâtel léger de MARQUE PHILADELPHIA dans vos recettes et conserver ce goût crémeux et délicieux tout en réduisant l'apport de gras de 33 %?

Même s'il a d'abord été conçu pour tartiner, le fromage à la crème doux de MARQUE PHILADELPHIA est bien adapté à plusieurs recettes. Vous apprécierez spécialement la facilité avec laquelle il se mélange aux autres ingrédients lorsque vous préparez des recettes réfrigérées vite cuisinées telles que des trempettes, des tartinades, des glaçages, des sauces froides ou des garnitures. Le fromage à la crème doux ne devrait toutefois pas être utilisé dans les recettes requérant un fromage à la crème en brique en raison de la consistance plus molle qui pourrait en résulter.

Les produits de fromage à la crème «PHILLY» savent rehausser toute occasion!

1/2 THE CALORIES
OF BUTTER OR MARGARINE
Soft
PHILADELPHIA
BRAND
PASTEURIZED CREAM CHEESE
WITH CHIVES & ONION
NET WT. 8 OZS.
(227g)
ALL NATURAL
FLAVORS

1/2 THE CALORIES
OF BUTTER OR MARGARINE
Soft
PHILADELPHIA
BRAND
PASTEURIZED CREAM CHEESE
WITH SMOKED SALMON
NET WT. 8 OZS.
(227g)
ALL NATURAL
FLAVORS

1/2 THE CALORIES
OF BUTTER OR MARGARINE
Soft
PHILADELPHIA
BRAND
PASTEURIZED CREAM CHEESE
WITH HERB & GARLIC
NET WT. 8 OZS.
(227g)

As always,
1/2 the calories
of butter or margarine
Soft
PHILADELPHIA
BRAND
CREAM CHEESE
PASTEURIZED
KRAFT

1/2 THE CALORIES
OF BUTTER OR MARGARINE
Soft
PHILADELPHIA
BRAND
PASTEURIZED CREAM CHEESE
WITH OLIVE & PIMENTO

1/2 THE CALORIES
OF BUTTER OR MARGARINE
Soft
PHILADELPHIA
BRAND
PASTEURIZED CREAM CHEESE
WITH PINEAPPLE

1/2 THE CALORIES
OF BUTTER OR MARGARINE
Soft
PHILADELPHIA
BRAND
PASTEURIZED CREAM CHEESE
WITH STRAWBERRIES

40 fabuleux amuse-gueule

TARTINADE FROMAGÉE PIQUANTE AUX AMANDES

Vous voudrez peut-être doubler cette recette pour une réception aux hors-d'oeuvres... elle est si populaire que vous risquez d'en manquer!

1 paquet de 8 oz (240 g) de fromage à la crème de MARQUE PHILADELPHIA, ramolli
1 1/2 tasse (375 ml) de fromage suisse en grains KRAFT
1/3 tasse (75 ml) de vraie mayonnaise KRAFT
1/4 tasse (50 ml) d'oignon vert haché
1/8 c. à thé (0,5 ml) de muscade râpée
1/8 c. à thé (0,5 ml) de poivre
1/4 tasse (50 ml) d'amandes émincées, grillées

- Préchauffer le four à 350°F (180°C).
- Bien mélanger tous les ingrédients, sauf les amandes, dans un petit bol à la vitesse moyenne d'un batteur électrique. Ajouter les amandes en remuant. En recouvrir une assiette à tarte de 9 po (22 cm).
- Cuire 15 minutes, en brassant après 8 minutes. Servir avec des craquelins ou des tranches de pain de seigle.

2 1/3 tasses (575 ml)

Préparation : 15 minutes
Cuisson : 15 minutes

MICRO-ONDES : • Suivre les indications ci-dessus sauf pour la cuisson. • Cuire 6 minutes à l'intensité MOYENNE (50 %) ou jusqu'à ce que le fromage suisse soit fondu et que le mélange soit assez chaud, en remuant après 4 minutes. *(Ne pas trop cuire)*. • Remuer avant de servir. Garnir d'amandes émincées grillées supplémentaires, au goût. Servir avec des craquelins variés ou des tranches de pain de seigle.

Cuisson au micro-ondes : 6 minutes

CREVETTES ET COSSES DE POIS CHINOIS

Cette trempette unique est constituée d'un mélange piquant de fromage à la crème «PHILLY», de cresson, de mayonnaise et de jus de citron.

1 1/2 tasse (375 ml) de feuilles de cresson en paquet
1 paquet de 8 oz (240 g) de fromage à la crème de MARQUE PHILADELPHIA, ramolli
1/4 tasse (50 ml) de vraie mayonnaise KRAFT
1/4 tasse (50 ml) de tranches d'oignon vert
1 1/2 c. à table (22 ml) de jus de citron
1/4 c. à thé (1 ml) de sel
1 1/2 livre (750 g) de crevettes moyennes, nettoyées, cuites
1/2 livre (250 g) de cosses de pois, blanchis
1 poivron rouge, coupé en lanières fines
1 poireau, coupé en lanières fines

- Bien mélanger tous les ingrédients, sauf les crevettes, les cosses de pois, les poivrons et le poireau, au robot culinaire ou au mélangeur. Réfrigérer.
- Entourer les cosses de pois autour des crevettes; garnir avec les poivrons. Nouer le tout avec les lanières de poireaux. Servir avec la tartinade au cresson.

Environ 3 douzaines

Préparation : 45 minutes, excluant la réfrigération
Suggestion : Omettez les lanières de poireau et de poivron. Fixez les cosses de pois au moyen de cure-dents.

Décortiquer et déveiner les crevettes avant la cuisson. Pour 1 livre (500 g) de crevettes à cuire, compter 1 tasse (250 ml) d'eau froide, 1 tasse (250 ml) de vin blanc sec, 2 ou 3 grains de poivre, 1 feuille de laurier ainsi que 3 ou 4 tranches de citron dans une grande casserole; porter à ébullition. Ajouter les crevettes; réduire l'intensité et mijoter de 3 à 5 minutes ou jusqu'à ce que les crevettes deviennent roses. Égoutter. Réfrigérer.

Crevettes et cosses de pois chinois

BOREK ÉPINARDS-FROMAGE

1 contenant de 8 oz (240 g) de fromage à la crème doux à la ciboulette et à l'oignon de MARQUE PHILADELPHIA
1 paquet de 10 oz (300 g) d'épinards hachés BIRDS EYE, décongelés, bien égouttés
$^1/_3$ tasse (75 ml) de poivron rouge grillé, égoutté, haché
$^1/_8$ c. à thé (0,5 ml) de poivre noir
9 feuilles de pâte phyllo, décongelées
6 c. à table (100 ml) de margarine PARKAY, fondue

- Préchauffer le four à 375°F (190°C).
- Bien mélanger le fromage à la crème, l'épinard, les poivrons rouges et le poivre noir dans un bol de taille moyenne.
- Étendre une feuille de pâte sur une surface plane. Badigeonner de margarine; couper dans le sens de la longueur en quatre lanières de 18 x $3^1/_2$ po (45 x 8 cm).
- Avec une cuiller, remplir chaque hors-d'oeuvre d'environ 1 c. à table (15 ml) de garniture à environ 1 po (2,5 cm) de l'extrémité de chaque lanière. Replier l'extrémité sur la garniture à un angle de 45°. Continuer de plier comme s'il s'agissait d'un drapeau afin de former un triangle qui contienne la garniture. Répéter l'opération avec le reste des feuilles de pâte et de la garniture.
- Placer les triangles sur une plaque à biscuits. Badigeonner de margarine.
- Cuire de 12 à 15 minutes ou jusqu'à ce que la pâte soit dorée.

3 douzaines

Préparation : 30 minutes
Cuisson : 15 minutes

Remarque : Avant de replier la dernière portion du triangle, placer un petit brin d'herbe sur la pâte. Replier la pâte sur l'herbe (qui sera sur le dessus de l'hors-d'oeuvre). Cuire tel qu'indiqué.

Décongeler les feuilles de pâte au réfrigérateur de 8 à 12 heures avant de les utiliser. Comme cette pâte sèche très rapidement, veiller à préparer la garniture avant de sortir la pâte du réfrigérateur. Pour de meilleurs résultats, travailler rapidement et couvrir les feuilles de pâte inutilisées d'un linge humide pour éviter l'assèchement.

TARTINADE ITALIENNE À L'AIL

1 contenant de 12 oz (360 g) de fromage à la crème doux de MARQUE PHILADELPHIA
$^1/_4$ tasse (50 ml) de margarine PARKAY
3 gousses d'ail hachées
2 c. à table (25 ml) de vin blanc sec
$1^1/_2$ c. à table (22 ml) de persil frais haché
1 c. à table (15 ml) de thym frais finement haché ou $^1/_2$ c. à thé (2 ml) de feuilles de thym séchées, broyées
1 c. à table (15 ml) de basilic frais finement haché ou $^1/_2$ c. à thé (2 ml) de feuilles de basilic séchées, broyées
Soupçon de sel et de poivre

- Bien mélanger le fromage à la crème, la margarine et l'ail dans un petit bol à la vitesse moyenne d'un batteur électrique.
- Incorporer le reste des ingrédients en mélangeant. Réfrigérer plusieurs heures ou durant la nuit. Servir avec des tranches de pain français, des morceaux de pain pita grillé ou des morceaux de baguel.

2 tasses (500 ml)

Préparation : 15 minutes, excluant la réfrigération

Les herbes fraîches créent une nouvelle sensation de saveur dans les aliments. Elles ajoutent de la personnalité et une certaine dimension à un plat. Le fromage à la crème de MARQUE PHILADELPHIA constitue une façon délicieuse de se familiariser avec la saveur des herbes fraîches. Il faut compter 1 c. à table (15 ml) d'herbes fraîches contre $^1/_2$ c. à thé (2 ml) d'herbes séchées. Laisser reposer la préparation herbe-fromage durant au moins une heure pour permettre aux saveurs de se fondre.

Borek épinards-fromage

GÂTEAU AU FROMAGE DU SUD-OUEST

Tous vos ingrédients du Sud-Ouest préférés réunis dans un savoureux gâteau au fromage... un goût et une présentation fantastiques!

1 tasse (250 ml) de tortillas finement écrasées
3 c. à table (50 ml) de margarine PARKAY, fondue
2 paquets de 8 oz (240 g) de fromage à la crème de MARQUE PHILADELPHIA, ramolli
2 oeufs
1 paquet de 8 oz (240 g) de fromage en grains Colby/Monterey Jack KRAFT
1 boîte de 4 oz (120 g) de piments verts hachés, égouttés
1 tasse (250 ml) de crème aigre BREAKSTONE'S
1 tasse (250 ml) de poivron orange ou jaune haché
1/2 tasse (125 ml) de tranches d'oignon vert
1/3 tasse (75 ml) de tomates hachées
1/4 tasse (50 ml) de tranches d'olives mûres dénoyautées

- Préchauffer le four à 325°F (160°C).
- Remuer les tortillas et la margarine dans un petit bol; foncer un moule à charnière de 9 po (22 cm) en comprimant. Cuire 15 minutes.
- Bien mélanger le fromage à la crème et les oeufs dans un grand bol à la vitesse moyenne d'un batteur électrique. Y mélanger le fromage en grains et les poivrons; verser sur la croûte. Cuire 30 minutes.
- Étendre la crème aigre sur le gâteau. Dégager le gâteau du rebord du moule; refroidir avant de retirer le rebord. Réfrigérer.
- Garnir du reste des ingrédients au moment de servir.

16 à 20 portions

Préparation : 20 minutes, excluant la réfrigération
Cuisson : 30 minutes

Pour une présentation agréable, découper simplement trois diamants dans une feuille de papier et les placer sur le dessus du gâteau au fromage. Disposer les tranches d'oignon vert autour des diamants. Retirer les papiers et garnir de poivrons. Ajouter une lanière de tomates vers le centre. Garnir d'olives.

TARTINADE AU FROMAGE ET À LA NOIX DE COCO

Une tartinade délicieuse à garder sous la main, prête en un instant pour les invités ou pour une collation vite préparée.

1 contenant de 8 oz (240 g) de fromage à la crème doux à l'ananas de MARQUE PHILADELPHIA
1/2 tasse (125 ml) de noix de coco BAKER'S ANGEL FLAKE
1/4 tasse (50 ml) de noix de Macadamia, grossièrement hachées
1/2 c. à thé (2 ml) de gingembre moulu

- Bien mélanger les ingrédients dans un petit bol. Servir avec des tranches d'ananas et des dattes ou des tranches de pain brun.

1 tasse (250 ml)

Préparation : 10 minutes

Gâteau au fromage du Sud-Ouest

COEUR À LA CRÈME ÉPICÉ

Une variante d'un mets délicat français classique, cet hors-d'oeuvre mettra du piquant dans votre soirée.

3 paquets de 8 oz (240 g) de fromage à la crème de MARQUE PHILADELPHIA, ramolli
1/2 tasse (125 ml) d'oignon vert haché
2 c. à table (25 ml) de coriandre fraîche hachée (facultatif)
2 gousses d'ail hachées
1 c. à thé (5 ml) de cumin moulu
1/2 c. à thé (2 ml) de sel
Un soupçon de poivre de Cayenne (facultatif)
1/3 tasse (75 ml) de salsa

- Bien mélanger tous les ingrédients, sauf la salsa, au robot culinaire ou au mélangeur.
- Garnir le coeur à la crème ou un moule de 3 tasses (750 ml) d'une étamine à fromage ou d'une pellicule de plastique. Verser la préparation de fromage à la crème. Refermer l'étamine ou la pellicule de plastique sur la préparation. Réfrigérer plusieurs heures ou durant la nuit.
- Découvrir le dessus du moule. Démouler; retirer avec soin l'étamine ou la pellicule de plastique.
- Garnir de salsa, puis d'un brin de coriandre, au goût. Servir avec des tortillas.

Environ 2 1/2 tasses (625 ml)

Préparation : 20 minutes, excluant la réfrigération

TREMPETTE DIJONNAISE AUX FINES HERBES

Pourquoi vous limiter à ne servir cette trempette qu'avec des artichauts - elle accompagne de délicieuse façon n'importe quel autre légume à tremper.

1 paquet de 8 oz (240 g) de fromage neufchâtel léger de MARQUE PHILADELPHIA, ramolli
3 c. à table (50 ml) de yogourt nature
2 c. à table (25 ml) de fromage parmesan 100 % naturel râpé KRAFT
2 c. à thé (10 ml) de moutarde de Dijon
1 c. à thé (5 ml) de sauce worcestershire au vin blanc
1/2 c. à thé (2 ml) de cerfeuil séché (facultatif)

- Bien mélanger les ingrédients au robot culinaire ou au mélangeur.
- Servir avec des artichauts cuits. Garnir de quartiers de citron, au goût.

1 tasse (250 ml)

Préparation : 10 minutes

Pour préparer les artichauts, les laver et couper la base des tiges. Retirer les premières feuilles dures. Couper le tiers supérieur des artichauts; couper légèrement le bout piquant des feuilles. Pour éviter la décoloration durant la cuisson, badigeonner au préalable les artichauts de jus de citron. Les placer à la verticale dans une casserole. Ajouter suffisamment d'eau pour recouvrir les artichauts. Ajouter environ 1 c. à thé (2 ml) de sel à l'eau. Couvrir; cuire 40 minutes ou jusqu'à ce que les feuilles se détachent facilement. Égoutter.

Trempette dijonnaise aux fines herbes

TARTINADE ORIENTALE

1 contenant de 12 oz (360 g) de fromage à la crème doux de MARQUE PHILADELPHIA
2/3 tasse (150 ml) de carottes râpées
1/2 tasse (125 ml) d'arachides salées hachées
1/4 tasse (50 ml) de chataîgnes d'eau hachées
1/4 tasse (50 ml) de tranches d'oignon vert
2 c. à table (25 ml) de sauce soya
1 c. à table (15 ml) de coriandre fraîche hachée
1 petite gousse d'ail hachée
1/4 c. à thé (1 ml) de gingembre moulu
2 c. à table (25 ml) de sauce sucrée et aigre

- Étaler le fromage à la crème dans une assiette de service de 10 po (25 cm).
- Mélanger les autres ingrédients, sauf la sauce sucrée et aigre, dans un bol de taille moyenne. Répandre ce mélange uniformément sur le fromage à la crème jusqu'à 1/2 po (1 cm) du bord. Garnir d'une bruine de sauce. Servir avec des craquelins.

12 à 14 portions

Préparation : 20 minutes

TREMPETTE BRUNCH CITRONNÉE

Vous pouvez rendre ces brochettes plus originales en découpant les fruits en formes géométriques avant de les embrocher.

1 paquet de 8 oz (240 g) de fromage neufchâtel léger de MARQUE PHILADELPHIA, ramolli
1/2 tasse (125 ml) de concentré de jus d'orange, décongelé
2 c. à table (25 ml) de lait écrémé

- Bien mélanger les ingrédients au robot culinaire ou au mélangeur. Réfrigérer. Servir avec des fruits variés à tremper.

1 1/2 tasse (375 ml)

Préparation : 5 minutes, excluant la réfrigération

TERRINE DE SAUMON ESTIVALE

Un hors-d'oeuvre léger qui impressionnera vos invités.

1 enveloppe de gélatine sans saveur
1/4 tasse (50 ml) d'eau froide
1 tasse (250 ml) de crème aigre moitié-moitié BREAKSTONE'S LIGHT CHOICE
1 contenant de 8 oz (240 g) de fromage à la crème doux au saumon fumé de MARQUE PHILADELPHIA
2 boîtes de 7 1/2 oz (225 g) de saumon, égoutté, désossé, en flocons
2 c. à thé (10 ml) de jus de citron
1 tasse (250 ml) de concombre pelé, râpé, bien égoutté
1/2 c. à thé (2 ml) d'aneth séché
1/2 c. à thé (2 ml) de sel

- Dans une petite casserole, diluer la gélatine dans l'eau; remuer à feu doux jusqu'à dissolution complète. Ajouter la crème aigre moitié-moitié en remuant.
- Bien mélanger le fromage à la crème, le saumon et le jus de citron dans un grand bol à la vitesse moyenne d'un batteur électrique. Ajouter la moitié du mélange de gélatine en remuant.
- Foncer un moule à pain légèrement huilé de 9 x 5 po (22 x 12 cm) de la moitié du mélange au saumon.
- Incorporer le concombre et les assaisonnements au reste du mélange de gélatine dans un petit bol; bien mélanger. Verser à la cuiller sur la couche de saumon.
- Garnir du reste du mélange au saumon. Réfrigérer jusqu'à consistance ferme. Démouler.
- Servir chaque tranche sur un lit de concombres finement tranchés. Garnir de lanières de poivron rouge et d'un brin d'aneth frais, au goût.

8 portions

Préparation : 35 minutes, excluant la réfrigération

Pour rendre les concombres plus attrayants, striez-les fermement dans le sens de la longueur avec les dents d'une fourchette sur toute leur surface apparente.

Terrine de saumon estivale

TARTINADE TROPICALE AUX NOIX

2 contenants de 8 oz (240 g) de fromage à la crème doux à l'ananas de MARQUE PHILADELPHIA
½ tasse (125 ml) de noix de Macadamia hachées
½ tasse (125 ml) de noix de coco BAKER'S ANGEL FLAKE
2 c. à table (25 ml) de cassonade tassée
1 c. à table (15 ml) de margarine PARKAY

- Garnir le fond d'un moule à tarte de 9 po (22 cm) de fromage à la crème.
- Mélanger les autres ingrédients dans un petit bol jusqu'à l'obtention d'une consistance friable. Parsemer sur le fromage à la crème.
- Griller 1 ou 2 minutes ou jusqu'à ce que la garniture fasse des bulles. Servir chaud avec des fruits frais.

12 à 15 portions

Préparation : 10 minutes
Cuisson : 2 minutes

TREMPETTE CLASSIQUE

1 contenant de 8 oz (240 g) de fromage à la crème doux de MARQUE PHILADELPHIA
1 enveloppe de 0,6 oz (20 g) de préparation pour vinaigrette italienne piquante GOOD SEASONS
1 contenant de 8 oz (240 g) de yogourt nature
1 c. à table (15 ml) de lait

- Bien mélanger les ingrédients dans un petit bol. Réfrigérer. Servir avec des légumes variés à tremper.

1 tasse (250 ml)

Préparation : 10 minutes, excluant la réfrigération

CANAPÉS AUX CONCOMBRES ET AUX FINES HERBES

Rapidité, facilité et esthétisme... voilà les qualités essentielles d'une préparation culinaire lorsqu'on reçoit en semaine. Cette tartinade au fromage à la crème «PHILLY» peut être préparée à l'avance et réfrigérée jusqu'au moment de servir.

1 paquet de 8 oz (240 g) de fromage à la crème de MARQUE PHILADELPHIA, ramolli
2 gousses d'ail hachées
½ tasse (125 ml) de tranches d'oignon vert
½ tasse (125 ml) de persil frais haché
½ c. à thé (2 ml) de feuilles de thym séchée, broyées
½ c. à thé (2 ml) de sel
¼ c. à thé (1 ml) de poivre
¼ c. à thé (1 ml) de feuilles d'estragon séchées, broyées
1 concombre anglais ou européen, coupé en tranches de ⅛ ou ¼ po (3 à 6 mm)

- Bien mélanger les ingrédients, sauf le concombre, dans un grand bol à la vitesse moyenne d'un batteur électrique.
- Tartiner les tranches de concombre du mélange au fromage à la crème. Garnir de légumes variés et d'herbes fraîches, au goût.

Environ 3½ douzaines

Préparation : 20 minutes

Variante : Remplacer le fromage à la crème par du fromage neufchâtel léger de MARQUE PHILADELPHIA.

Les concombre européens sont plus longs que les concombres ordinaires et n'ont pas de pépins. De plus, il n'est pas nécessaire de les peler.

Canapés aux concombres et aux fines herbes

TREMPETTE AUX PÉPINS DE CITROUILLE

1 paquet de 8 oz (240 g) de fromage neufchâtel léger de MARQUE PHILADELPHIA, ramolli
1 tasse (250 ml) de crème aigre moitié-moitié BREAKSTONE'S LIGHT CHOICE
2 c. à table (25 ml) de lait
1 boîte de 4 oz (120 g) de poivrons verts hachés, égouttés
1/3 tasse (75 ml) de pépins de citrouille écalés, grillés, émiettés
2 c. à table (25 ml) de coriandre fraîche finement hachée
1 c. à table (15 ml) d'oignon vert finement haché
1/2 c. à thé (2 ml) de sel d'ail
1/4 à 1/2 c. à thé (1 ou 2 ml) de sauce au poivre piquante

- Bien mélanger le fromage neufchâtel, la crème aigre moitié-moitié et le lait dans un petit bol à la vitesse moyenne d'un batteur électrique
- Ajouter le reste des ingrédients en remuant. Réfrigérer. Servir avec des bâtonnets de dolique bulbeux (voir page 103), de céleri et de carottes.

2 1/3 tasses (575 ml)

Préparation : 20 minutes, excluant la réfrigération

On peut se procurer les pépins de citrouille, souvent appelées pépites ou pépins de courge, dans la plupart des boutiques d'aliments naturels.

Les pépins de citrouille écalés gonflent légèrement et deviennent légers et fragiles lorsqu'ils sont grillés; ils sont donc faciles à émietter.

SPIRALES AUX HARICOTS NOIRS

Vos invités croiront que vous avez passé la journée à cuisiner ces hors-d'oeuvres mexicains, pourtant si faciles à préparer.

4 oz (120 g) de fromage à la crème de MARQUE PHILADELPHIA, ramolli
1/2 tasse (125 ml) de fromage Monterey Jack aux poivrons de Jalapeño, en grains KRAFT
1/4 tasse (50 ml) de crème aigre BREAKSTONE'S
1/4 c. à thé (1 ml) de sel d'oignon
1 tasse (250 ml) de haricots noirs en boîte, rincés, égouttés
3 tortillas à la farine de 10 po (25 cm)

- Bien mélanger les fromages, la crème aigre et le sel d'oignon dans un petit bol à la vitesse moyenne d'un batteur électrique.
- Réduire les haricots en purée au robot culinaire ou au mélangeur. Tartiner chaque tortilla d'une mince couche de purée d'haricots. Recouvrir ensuite du mélange au fromage.
- Rouler les tortillas bien serré; réfrigérer 30 minutes. Couper en tranches de 1/2 po (1 cm). Servir avec de la salsa.

12 portions

Préparation : 15 minutes, excluant la réfrigération

Les haricots noirs sont cultivés dans le Sud du Mexique ainsi que dans la région du Golfe et du Yucatan. Ils sont riches en fibres, en protéines, en fer et en potassium, et sont pauvres en sodium.

Spirales aux haricots noirs

FONDUE CRÉMEUSE AUX FINES HERBES

2 c. à table (25 ml) d'échalotes hachées
1 c. à table (15 ml) de margarine PARKAY
2 c. à table (25 ml) de vermouth sec
1 contenant de 8 oz (240 g) de fromage à la crème doux aux herbes et à l'ail de MARQUE PHILADELPHIA
1/4 tasse (50 ml) de crème moitié-moitié

- Faire revenir les échalotes à la margarine dans une casserole de taille moyenne jusqu'à ce qu'elles soient tendres. Ajouter le vermouth; cuire 1 minute à feu doux.
- Ajouter le fromage à la crème et la crème moitié-moitié en remuant; cuire jusqu'à ce que le fromage à la crème soit fondu. Servir chaud avec de grosses crevettes cuites et des cubes de pain.

1 1/4 tasse (300 ml)

Préparation : 5 minutes
Cuisson : 5 minutes

POTAGE FROID AU MELON

Avec l'abondance des melons en été, vous pouvez faire double recette de ce savoureux potage et en conserver au réfrigérateur.

1 contenant de 8 oz (240 g) de fromage à la crème doux à l'ananas de MARQUE PHILADELPHIA
2 tasses (500 ml) de morceaux de cantaloup
1 tasse (250 ml) de morceaux de melon de miel
1 tasse (250 ml) de jus d'orange
1/4 c. à thé (1 ml) de sel

- Passer les ingrédients au robot culinaire ou au mélangeur jusqu'à l'obtention d'une consistance homogène. Réfrigérer.

4 portions

Préparation : 10 minutes, excluant la réfrigération

HORS-D'OEUVRE GREC DU JARDIN

La base de cet hors-d'oeuvre est composée de fromage à la crème «PHILLY» et peut être préparée plusieurs jours à l'avance, recouverte de façon hermétique et réfrigérée. Au moment de servir, ajouter les légumes frais colorés et disposer les craquelins autour du plat.

1 paquet de 8 oz (240 g) de fromage neufchâtel léger de MARQUE PHILADELPHIA, ramolli
1 paquet de 8 oz (240 g) de fromage feta CHURNY ATHENOS, en grains
2 c. à table (25 ml) de yogourt nature
1 c. à table (15 ml) de feuilles de menthe fraîche hachées en paquet ou 1/2 c. à thé (2 ml) de feuilles de menthe séchées, hachées
1 gousse d'ail hachée
1 tomate, sans pépins, en dés
1 petit concombre, en dés
1 oignon vert, en tranches

- Bien mélanger les fromages, le yogourt, la menthe et l'ail dans un petit bol à la vitesse moyenne d'un batteur électrique. Foncer de ce mélange un moule à tarte de 10 po (25 cm). Réfrigérer.
- Au moment de servir, garnir le mélange au fromage de tomates, de concombres et d'oignons. Servir avec des craquelins ou des quartiers de pain pita grillé.

10 à 12 portions

Préparation : 15 minutes, excluant la réfrigération

Hors-d'oeuvre grec du jardin

CROQUETTES DE POMMES DE TERRE À LA SAUCE AU SAUMON

3 tasses (750 ml) de pommes de terre rissolées à la mode du Sud décongelées, bien égouttées
2 oeufs battus
1 petit oignon en quartiers
1/4 tasse (50 ml) de farine
1/4 c. à thé (1 ml) de levure chimique CALUMET
1/4 c. à thé (1 ml) de sel
Huile
Sauce au saumon

- Passer au robot culinaire les pommes de terre, les oeufs, les oignons, la farine, la levure chimique et le sel jusqu'à ce que les pommes de terre et les oignons soient finement hachés.
- Verser des cuillerées à table de mélange aux pommes de terre dans 1 1/2 po (3 cm) d'huile chaude. Frire jusqu'à ce que les pommes de terre soient dorées, en les retournant une fois. Garder au chaud dans le four.
- Recommencer avec le reste du mélange. Servir avec la sauce au saumon.

2 1/2 douzaines

SAUCE AU SAUMON

1 contenant de 8 oz (240 g) de fromage à la crème doux au saumon fumé de MARQUE PHILADELPHIA
1/2 tasse (125 ml) de crème aigre BREAKSTONE'S
1/4 tasse (50 ml) de vraie mayonnaise KRAFT
1/2 c. à thé (2 ml) d'aneth frais haché

- Bien mélanger tous les ingrédients dans un petit bol.

Préparation : 20 minutes
Cuisson : 15 minutes

TARTINADE AU PEPPERONCINI

Il est préférable de préparer cette tartinade tôt dans la journée ou même la veille de votre réception pour permettre aux saveurs de se fondre.

1 contenant de 8 oz (240 g) de fromage à la crème doux de MARQUE PHILADELPHIA
1/2 tasse ou 2 oz (125 ml ou 60 g) de fromage provolone en grains
1/4 tasse ou 1 oz (50 ml ou 30 g) de fromage parmesan 100 % naturel râpé KRAFT
1/8 c. à thé (0,5 ml) de poudre d'ail
1 pot de 12 oz (360 g) de pepperoncini, égouttés, sans tige, sans pépin, hachés
1 tomate prune en dés

- Bien mélanger les fromages et la poudre d'ail dans un bol de taille moyenne.
- Ajouter les pepperoncini et les tomates; bien mélanger. Réfrigérer. Garnir de ciboulette fraîche et de poivrons verts, rouges et jaune taillés, au goût. Servir avec des morceaux de pain grillé taillés.

2 1/2 tasses (625 ml)

Préparation : 20 minutes, excluant la réfrigération

◆◆◆

Utiliser des moules à biscuits pour créer des motifs dans les tranches de pain. Cuire à 325°F (160°C) durant 5 minutes pour chaque côté ou jusqu'à ce que le pain soit légèrement grillé.

Tartinade au pepperoncini

TREMPETTE AUX ÉPINARDS OLÉ!

Accueillez vos invités avec un buffet international composé de hors-d'oeuvres de tous les pays du monde. Cette trempette crémeuse aux épinards accompagne très bien d'autres recettes à base de fromage à la crème «PHILLY» telles que la tartinade au pepperoncini, le borek épinards-fromage et la tartinade tropicale aux noix, pour n'en nommer que quelques-unes.

1 contenant de 8 oz (240 g) de fromage à la crème doux de MARQUE PHILADELPHIA
1/4 tasse (50 ml) de crème moitié-moitié
2 tasses ou 8 oz (500 ml ou 240 g) de fromage Monterey Jack naturel aux poivrons de Jalapeño, en grains CASINO
1 paquet de 10 oz (300 g) d'épinards haché BIRDS EYE, décongelés, bien égouttés
1/2 tasse (125 ml) d'oignon haché
1/2 tasse (125 ml) d'olives mûres dénoyautées hachées
1 c. à table (15 ml) de vinaigre de vin rouge
1/4 c. à thé (1 ml) de sauce au poivre piquante (facultatif)

- Préchauffer le four à 400°F (200°C).
- Bien mélanger le fromage à la crème et la crème moitié-moitié dans un bol de taille moyenne. Ajouter le reste des ingrédients; bien mélanger. Foncer un moule à tarte de 9 po (22 cm).
- Cuire de 20 à 25 minutes ou jusqu'à ce que le tout soit légèrement doré. Servir avec des tortillas.

10 à 12 portions

Préparation : 15 minutes
Cuisson : 25 minutes

TARTE CALIFORNIENNE

Cet hors-d'oeuvre réjouissant est composé d'un mélange savoureux de fromage à la crème «PHILLY», de fromage de chèvre et de thym avec une couche vive de pesto vert et de poivrons rouges grillés.

2 paquets de 8 oz (240 g) de fromage à la crème de MARQUE PHILADELPHIA, ramolli
1 paquet de 8 oz (240 g) de fromage de chèvre
1 ou 2 gousses d'ail
2 c. à table (25 ml) d'huile d'olive
1 c. à thé (5 ml) de feuilles de thym séchées
3 c. à table (50 ml) de pesto, bien égoutté
1/3 tasse (75 ml) de poivrons rouges grillés, égouttés, hachés

- Garnir un moule à soufflé de 1 litre ou un moule à pain d'une pellicule de plastique.
- Bien mélanger le fromage à la crème, le fromage de chèvre et l'ail au robot culinaire ou au mélangeur. Ajouter l'huile et le thym; bien mélanger.
- Placer le tiers de la préparation au fromage dans le moule; couvrir de pesto, d'un autre tiers du mélange ainsi que de poivrons. Garnir du reste du mélange au fromage. Recouvrir; réfrigérer.
- Démouler; retirer la pellicule de plastique. Lisser les côtés. Garnir d'herbes fraîches et de poivrons rouges supplémentaires, au goût. Servir avec des craquelins variés ou du pain français.

3 tasses (750 ml)

Préparation : 15 minutes, excluant la réfrigération

Tarte californienne

TREMPETTE À L'AIL GRILLÉE

2 têtes d'ail de 4 oz (120 g)
1 paquet de 8 oz (240 g) de fromage à la crème de MARQUE PHILADELPHIA, ramolli
1/4 tasse (50 ml) de poivrons rouges grillés, hachés
2 c. à table (25 ml) de vin Marsala sec
2 c. à table (25 ml) d'huile d'olive
1/4 c. à thé (1 ml) de sel
1/8 c. à thé (0,5 ml) de poivre blanc

- Préchauffer le four à 350°F (180°C).
- Retirer la peau de l'ail, laissant la tête intacte; placer dans un petit plat allant au four. Ajouter 1 po (2,5 cm) d'eau dans le plat; recouvrir de papier d'aluminium.
- Cuire 1 heure ou jusqu'à ce que l'ail soit tendre, en arrosant à l'occasion.
- Retirer les peaux des gousses d'ail; passer l'ail et le reste des ingrédients au robot culinaire ou au mélangeur jusqu'à l'obtention d'une consistance homogène. Réfrigérer. Garnir de ciboulette fraîche et de poivron rouge, au goût. Servir avec des légumes à tremper.

1 1/2 tasse (375 ml)

Préparation : 10 minutes, excluant la réfrigération
Cuisson : 1 heure

TIMBALES AUX DEUX FROMAGES DANS UNE SAUCE AU VIN DE POIRES

1 c. à table (15 ml) de margarine PARKAY
Chapelure de pain sec
1 paquet de 8 oz (240 g) de fromage à la crème de MARQUE PHILADELPHIA, ramolli
1/2 tasse ou 2 oz (125 ml ou 60 g) de fromage bleu en grains KRAFT
3 c. à table (50 ml) de margarine PARKAY
2 oeufs
1/4 c. à thé (1 ml) de poivre blanc
1/8 c. à thé (0,5 ml) de sel
2 blancs d'oeufs
Sauce au vin de poires

- Préchauffer le four à 350°F (180°C).
- Graisser généreusement un moule à muffins de taille moyenne avec 1 c. à table (15 ml) de margarine. Recouvrir légèrement de chapelure.
- Bien mélanger les fromages et 3 c. à table (50 ml) de margarine dans un grand bol à la vitesse moyenne d'un batteur électrique. Incorporer les oeufs entiers et l'assaisonnement.
- Battre les blancs d'oeufs dans un petit bol à la vitesse élevée d'un batteur électrique jusqu'à ce que des pointes se forment. Retourner dans le mélange au fromage à la crème.
- Verser à la cuiller le mélange au fromage à la crème dans le moule à muffins graissé, en remplissant chaque moule au trois-quarts. Placer dans un grand plat étroit allant au four. Placer le plat sur une grille du four; verser avec soin de l'eau bouillante à 1/2 po (1 cm) de profondeur.
- Cuire 25 minutes ou jusqu'à ce que l'extérieur soit doré et l'intérieur cuit. Démouler; servir chaud avec la sauce au vin de poires.

1 douzaine

SAUCE AU VIN DE POIRES

1 boîte de 16 oz (480 g) de moitiés de poires, égouttées
1/4 tasse (50 ml) de porto

- Réduire les poires en purée au robot culinaire ou au mélangeur.
- Porter le porto à ébullition dans une petite casserole; réduire l'intensité. Mijoter 1 minute. Ajouter les poires en remuant; bien chauffer.

Préparation : 15 minutes
Cuisson : 25 minutes

Remarque : Les timbales peuvent être cuites à l'avance, enveloppées hermétiquement et congelées. Pour servir, placer les timbales congelées en cercle dans un moule à tarte. Cuire 2 minutes au micro-ondes à l'intensité MOYENNE (50 %). Donner un-quart de tour au plat. Cuire à nouveau au micro-ondes 1 ou 2 minutes à la même intensité ou jusqu'à ce que la recette soit chaude.

Pour de meilleurs résultats, séparer les oeufs lorsqu'ils sont froids; laisser les oeufs atteindre la température de la pièce avant de les battre pour obtenir un volume maximal.

Trempette à l'ail grillée

CROQUETTES AUX ÉPINARDS

2 paquets de 10 oz (300 g) d'épinards hachés BIRDS EYE, décongelés, bien égouttés
1 contenant de 8 oz (240 g) de fromage à la crème doux aux herbes et à l'ail de MARQUE PHILADELPHIA
2 oeufs
2/3 tasse ou 3 oz (150 ml ou 90 g) de fromage parmesan 100 % naturel râpé KRAFT
1/2 tasse (125 ml) de chapelure de pain séché

- Préchauffer le four à 375°F (190°C).
- Bien mélanger tous les ingrédients dans un grand bol. Former des boulettes de 1 po (2,5 cm). Placer dans un moule à gâteau roulé de 15 x 10 x 1 po (38 x 25 x 2,5 cm).
- Cuire de 15 à 20 minutes ou jusqu'à l'obtention d'une consistance ferme. Servir avec de la sauce tomate chaude, au goût.

Environ 3 1/2 douzaines

Préparation : 20 minutes
Cuisson : 20 minutes

Pour bien égoutter les épinards, les placer entre deux serviettes de papier et presser fermement pour évacuer l'humidité; répéter aussi souvent que nécessaire avec d'autres serviettes de papier.

POTAGE FROID À LA POIRE BELLE HÉLENE

L'élégante présentation de ce potage impressionnera vos invités - et il est si facile à préparer!

4 poires, pelées, sans trognon, en cubes
1 boîte de 12 oz (360 g) de nectar de poire
1 contenant de 8 oz (240 g) de fromage à la crème fondu léger pasteurisé de MARQUE PHILADELPHIA
1/2 tasse (125 ml) de champagne
1 tasse (250 ml) de framboises

- Réduire les poires en purée au robot culinaire ou au mélangeur. Ajouter le nectar, le produit de fromage à la crème et le champagne et bien mélanger. Verser dans un bol de taille moyenne; couvrir. Réfrigérer.
- Au moment de servir, réduire les framboises en purée au robot culinaire ou au mélangeur. Égoutter.
- Verser le potage dans des bols. Verser environ 2 c. à table (25 ml) de purée de framboises à intervalles sur chaque portion. Tracer un motif dans la purée à l'aide d'un cure-dents. Garnir avec des framboises supplémentaires et des feuilles de menthe fraîche, au goût.

6 portions

Préparation : 10 minutes, excluant la réfrigération

Potage froid à la poire belle Hélène

TERRINE FROIDE FETA ET TOMATE

Cette terrine peut être préparée la veille.

1 enveloppe de gélatine sans saveur
2 c. à table (25 ml) d'eau froide
3 c. à table (50 ml) de vin de madère ou de sherry
1 paquet de 8 oz (240 g) de fromage à la crème de MARQUE PHILADELPHIA, ramolli
2 oz (60 g) de fromage feta en grains CHURNY ATHENOS
1/2 tasse (125 ml) de crème aigre BREAKSTONE'S
1/4 tasse (50 ml) de tomates séchées au soleil dans l'huile, égouttées, finement hachées
1/4 tasse (50 ml) de poivrons rouges grillés, hachés
2 c. à table (25 ml) de persil frais finement haché
1 petite gousse d'ail hachée

- Dans une petite casserole, diluer la gélatine dans l'eau. Ajouter le vin; remuer à feu doux jusqu'à ce que la gélatine soit dissoute.
- Bien mélanger les fromages dans un petit bol à la vitesse moyenne d'un batteur électrique. Incorporer la crème aigre.
- Incorporer le mélange à la gélatine et le reste des ingrédients au fromage à la crème. Bien mélanger. Verser dans un moule à pain de 8 x 4 po (20 x 10 cm) légèrement huilé. Réfrigérer plusieurs heures ou jusqu'à l'obtention d'une consistance ferme.
- Démouler; couper en tranches.

10 à 12 portions

Préparation : 35 minutes, excluant la réfrigération

TREMPETTE CORONADO

2 poitrines de poulet de 1 lb (500 g), dépouillées de leur peau, désossées, en morceaux de 1 po (2,5 cm)
3/4 tasse (175 ml) d'eau froide
1 enveloppe de 1,5 oz (45 g) de préparation d'assaisonnement pour taco
1 paquet de 8 oz (240 g) de fromage neufchâtel léger de MARQUE PHILADELPHIA, ramolli
1 c. à table (15 ml) de jus de limette
1 c. à table (15 ml) de lait écrémé
1/2 tasse (125 ml) de tomate hachée
2 c. à table (25 ml) de fromage cheddar fort naturel léger réduit en matières grasses
2 c. à table (25 ml) de fromage Monterey Jack naturel, léger et réduit en matières grasses
2 c. à table (25 ml) de tranches d'oignon vert
2 c. à table (25 ml) de poivron rouge haché
1 c. à table (15 ml) d'olives mûres dénoyautées, hachées

- Mettre le poulet, l'eau et l'assaisonnement pour taco dans un grand poêlon; porter à ébullition. Réduire l'intensité. Couvrir et mijoter 25 minutes.
- Refroidir légèrement; défaire le poulet en morceaux.
- Bien mélanger le fromage neufchâtel, le jus de limette et le lait au robot culinaire ou au mélangeur.
- Au moment de servir, étaler le mélange au fromage neufchâtel au centre d'un grand plat de service; disposer le poulet autour du mélange. Garnir des autres ingrédients. Servir avec des tortillas.

12 portions

Préparation : 25 minutes
Cuisson : 25 minutes

Pour défaire le poulet en morceaux, enfoncer deux fourchettes dans les poitrines en tirant dans des directions opposées jusqu'à ce que le poulet soit réduit à la taille voulue.

Trempette coronado

TARTINADE AUX FINES HERBES ET AUX ARTICHAUTS

1 contenant de 8 oz (240 g) de fromage à la crème doux aux herbes et à l'ail de MARQUE PHILADELPHIA
1 pot de 6 1/2 oz (195 g) de coeurs d'artichauts marinés, égouttés, hachés
1/4 c. à thé (1 ml) de sel
4 à 6 gouttes de sauce au poivre piquante

- Bien mélanger les ingrédients dans un petit bol. Réfrigérer. Servir avec des morceaux de pain grillés et taillés. Garnir de fines herbes fraîches et de poivron rouge haché, au goût.

1 1/2 tasse (375 ml)

Préparation : 5 minutes, excluant la réfrigération

Se référer à la page 24 pour griller et tailler les morceaux de pain.

HORS-D'OEUVRE AUX POMMES DE TERRE FARCIES

24 petites pommes de terre rouges nouvelles (environ 1 1/2 lb - 750 g)
1 contenant de 8 oz (240 g) de fromage à la crème doux aux herbes et à l'ail de MARQUE PHILADELPHIA
1/4 tasse (50 ml) de persil frais haché

- Bouillir les pommes de terre dans une grande casserole de 18 à 20 minutes ou jusqu'à ce qu'elles soient tendres. Égoutter; refroidir.
- Creuser le centre des pommes de terre au moyen d'un moule à fruit ou d'une petite cuiller pointue, en laissant une coquille de 1/8 po (3 mm).
- Garnir les pommes de terre de fromage à la crème au moyen d'une cuiller ou d'un sac pâtissier. Saupoudrer de persil.

2 douzaines

Préparation : 15 minutes
Cuisson : 20 minutes

TREMPETTE DOUBLE RADIS

Un rose vif parsemé de petites taches de rouge... une trempette piquante pour accompagner des légumes croquants.

1 sac de 6 oz (180 g) de radis (environ 1 1/2 tasse - 375 ml)
1 contenant de 8 oz (240 g) de fromage à la crème doux à la ciboulette et à l'oignon de MARQUE PHILADELPHIA
1 c. à table (15 ml) de raifort préparé KRAFT
1 c. à thé (5 ml) de sauce worcestershire

- Hacher finement les radis au robot culinaire ou au mélangeur.
- Ajouter le reste des ingrédients; bien mélanger. Réfrigérer. Servir avec des légumes à tremper ou des bâtonnets de pain doux.

2 tasses (500 ml)

Préparation : 10 minutes, excluant la réfrigération

TARTINADE FRUITÉE AU FROMAGE

1 paquet de 8 oz (240 g) de fromage à la crème de MARQUE PHILADELPHIA, ramolli
1 paquet de 10 oz (300 g) de fromage muenster en grains CRACKER BARREL
1/2 tasse (125 ml) d'abricots séchés finement hachés
1/4 tasse (50 ml) de poivron vert finement haché
1 c. à table (15 ml) de lait
1/8 ou 1/4 c. à thé (0,5 ou 1 ml) de gingembre moulu

- Bien mélanger les ingrédients dans un grand bol à la vitesse moyenne d'un batteur électrique. Réfrigérer. Servir avec des craquelins variés ou des tranches de pain de seigle pour hors-d'oeuvres.

2 1/2 tasses (625 ml)

Préparation : 15 minutes, excluant la réfrigération

Tartinade aux fines herbes et aux artichauts

TREMPETTE AU CRABE ET À L'AVOCAT

Le fromage neufchâtel «PHILLY» rend cette trempette particulièrement crémeuse.

1 gros avocat, en moitiés, dénoyauté, pelé
2 c. à table (25 ml) d'oignon haché
1 c. à table (15 ml) de jus de citron
1 c. à thé (5 ml) de sauce worcestershire
1 paquet de 8 oz (240 g) de fromage neufchâtel léger de MARQUE PHILADELPHIA, ramolli
1/2 tasse (125 ml) de crème aigre moitié-moitié BREAKSTONE'S LIGHT CHOICE
1/2 c. à thé (2 ml) de sel
Quelques gouttes de sauce au poivre piquante
1 paquet de 8 oz (240 g) de pattes de goberge LOUIS KEMP CRAB DELIGHTS, hachées

- Bien mélanger l'avocat, l'oignon, le jus de citron et la sauce worcestershire au robot culinaire ou au mélangeur.
- Ajouter le fromage neufchâtel, la crème aigre moitié-moitié, le sel et la sauce au poivre piquante; bien mélanger. Ajouter la goberge en mélangeant. Servir avec des tortillas.

3 tasses (375 ml)

Préparation : 10 minutes

TREMPETTE REGGAE AVEC CREVETTES

1 ou 2 gousses d'ail
1 contenant de 8 oz (240 g) de fromage à la crème doux à la ciboulette et à l'oignon de MARQUE PHILADELPHIA
1/4 tasse (50 ml) de sauce au chili
2 c. à thé (10 ml) de sauce worcestershire
1 c. à thé (5 ml) de moutarde sèche
1/4 c. à thé (1 ml) de poivre
30 crevettes de taille moyenne, nettoyées, cuites

- Hacher finement l'ail au robot culinaire ou au mélangeur.
- Ajouter le reste des ingrédients à l'exception des crevettes; bien mélanger. Réfrigérer. Servir avec les crevettes. Garnir de quartiers de citron, au goût.

6 portions

Préparation : 15 minutes, excluant la réfrigération

TARTINADE AU PEPPERONI

3 oz (90 g) de pepperoni
1/4 tasse (50 ml) de persil frais, sans tige
1 paquet de 8 oz (240 g) de fromage neufchâtel léger de MARQUE PHILADELPHIA, ramolli
3 c. à table (50 ml) de lait écrémé

- Hacher le pepperoni et le persil au robot culinaire ou au mélangeur.
- Ajouter le reste des ingrédients et bien mélanger. Servir avec des légumes variés à tremper et des bâtonnets de pain.

1 1/2 tasse (375 ml)

Préparation : 10 minutes

Variante : Remplacer le pepperoni par du jambon cuit fumé de OSCAR MAYER.

Trempette reggae avec crevettes

MOUSSE AU CONCOMBRE ET AU SAUMON

Délicieusement légère et crémeuse, cette mousse apporte une touche d'élégance dans un buffet.

2 enveloppes de gélatine sans saveur
1 tasse (250 ml) d'eau froide
2 c. à table (25 ml) de jus de citron
2 contenants de 8 oz (240 g) de fromage à la crème doux au saumon fumé de MARQUE PHILADELPHIA
1 petit concombre, pelé, finement haché

- Dans une petite casserole, diluer la gélatine dans l'eau; remuer à feu doux jusqu'à dissolution complète. Ajouter le jus de citron en remuant.
- Bien mélanger le fromage à la crème, le mélange à la gélatine et le concombre dans un petit bol. Verser dans un moule de 1 litre légèrement huilé.
- Réfrigérer jusqu'à l'obtention d'une consistance ferme. Démouler dans une assiette de service. Servir avec des toasts melba rondes.

3 tasses (750 ml)

Préparation : 15 minutes, excluant la réfrigération

RAVIOLI AUX FRUITS DE MER À LA SAUCE TOMATE FRAÎCHE

Le fromage à la crème doux aux herbes et à l'ail «PHILLY» et une goberge à saveur de crabe donnent une farce savoureuse pour ce hors-d'oeuvre unique aux ravioli.

1 contenant de 8 oz (240 g) de fromage à la crème doux aux herbes et à l'ail de MARQUE PHILADELPHIA
¾ tasse (175 ml) de morceaux de goberge LOUIS KEMP CRAB DELIGHT
36 pâtes de nouilles wonton
Eau froide
Sauce tomate fraîche

- Bien mélanger le fromage à la crème et la goberge dans un bol de taille moyenne.
- Pour chaque ravioli, verser une 1 c. à table (15 ml) de mélange au fromage au centre d'une pâte de nouille wonton. Badigeonner les bords à l'eau. Recouvrir d'une deuxième pâte wonton. Appuyer sur les bords des nouilles pour sceller, en faisant sortir l'air.
- Pour des ravioli carrés, tailler les bords des pâtes au moyen d'un couteau à pâtisserie. Pour une forme ronde, placer un moule à biscuit de 3 po (7,5 cm) sur chaque ravioli en s'assurant que l'ustensile contienne bien la garniture. Appuyer fermement pour couper le tour des deux pâtes.
- Porter 1½ litre d'eau à ébullition dans une grande casserole. Cuire quelques ravioli à la fois durant 2 ou 3 minutes ou jusqu'à ce qu'ils remontent à la surface. Retirer à l'aide d'une cuiller percée. Servir avec la sauce tomate fraîche.

1½ douzaine

SAUCE TOMATE FRAÎCHE

2 gousses d'ail hachées
2 c. à table (25 ml) d'huile d'olive
6 tomates prunes en dés
1 c. à table (15 ml) de vinaigre de vin rouge
1 c. à table (15 ml) de persil frais haché

- Faire revenir l'ail dans l'huile 1 minute dans une casserole de taille moyenne. Ajouter le reste des ingrédients.
- Cuire 2 ou 3 minutes à feu doux ou jusqu'à ce que le mélange soit bien chauffé, en remuant à l'occasion. Refroidir à la température de la pièce.

Préparation : 25 minutes
Cuisson : 3 minutes par recette

Variante : Pour des ravioli triangulaires, verser 2 c. à thé (10 ml) de mélange au fromage à la crème au centre de chaque pâte wonton; badigeonner les bords à l'eau. Plier en deux pour former un triangle. Appuyer sur les bords pour sceller, en prenant soin de laisser sortir l'air. Couper les bords.

3 douzaines

Mousse au concombre et au saumon

FROMAGE TURC

Des couches floconneuses de pâte phyllo sont farcies de quatre fromages et d'assaisonnements, ce qui en fait une gourmandise savoureuse.

1 paquet de 8 oz (240 g) de fromage à la crème de MARQUE PHILADELPHIA, ramolli
2 oeufs
1/4 tasse (50 ml) de tranches d'oignon vert
1 c. à table (15 ml) d'aneth frais haché ou 1/2 c. à thé (2 ml) d'aneth séché
1 c. à table (15 ml) de feuilles de menthe fraîche hachées ou 1/2 c. à thé (2 ml) de feuilles de menthe séchées, broyées
1 paquet de 8 oz (240 g) de fromage feta CHURNY ATHENOS, émietté
1 tasse ou 4 oz (250 ml ou 120 g) de fromage Monterey Jack naturel CASINO, en grains
1/4 tasse ou 1 oz (50 ml ou 30 g) de fromage parmesan 100 % naturel râpé KRAFT
16 feuilles de pâte phyllo décongelées
3/4 tasse (175 ml) de margarine PARKAY, fondue

- Préchauffer le four à 375°F (190°C).
- Bien mélanger le fromage à la crème, les oeufs, les oignons, l'aneth et la menthe dans un petit bol à la vitesse moyenne d'un batteur électrique. Ajouter les autres fromages en remuant.
- Placer une feuille de pâte phyllo sur un moule à gâteau roulé graissé de 15 x 10 x 1 po (40 x 25 x 2,5 cm); badigeonner de margarine. Ajouter sept autres couches de pâte en badigeonnant chacune de margarine. (Remarque : la pâte s'étendra au-delà du moule.)
- Tartiner la pâte de mélange au fromage; replier les coins sur le mélange. Surmonter le mélange au fromage des feuilles de pâte qui restent, en badigeonnant chacune de margarine. Replier les bords sous la couche inférieure; asperger d'une bruine de margarine.
- Cuire de 35 à 40 minutes ou jusqu'à ce que les pâtes soient légèrement dorées. Couper en forme de diamant.

2 douzaines

Préparation : 50 minutes
Cuisson : 40 minutes

LÉGUMES FARCIS AU CAVIAR

Il existe plusieurs alternatives savoureuses au caviar... essayez les palourdes hachées, les petites crevettes, les noix hachées, les carottes râpées ou le poivron rouge haché.

1 contenant de 8 oz (240 g) de fromage à la crème doux de MARQUE PHILADELPHIA
1 ou 2 échalotes hachées
1 c. à table (15 ml) d'huile d'olive
1/4 c. à thé (1 ml) de poivre noir grossièrement moulu
Endives belges, radicchio ou légumes variés
Caviar

- Bien mélanger le fromage à la crème, les échalotes, l'huile et le poivre au robot culinaire ou au mélangeur.
- Verser le mélange au fromage à la crème sur les légumes au moyen d'une cuiller ou d'un sac pâtissier; verser le caviar par-dessus. Garnir de pelures d'orange ou de fines herbes fraîches, au goût.

Environ 2 douzaines

Préparation : 10 minutes

Légumes farcis au caviar

HORS-D'OEUVRES DE CROISSANTS ET BACON

Il est plus commode de préparer la garniture à l'avance.

1 paquet de 8 oz (240 g) de fromage à la crème de MARQUE PHILADELPHIA, ramolli
8 tranches de bacon OSCAR MAYER, croustillants, en miettes
1/3 tasse ou 1 1/2 oz (75 ml ou 45 g) de fromage parmesan 100 % naturel râpé KRAFT
1/4 tasse (50 ml) d'oignon finement haché
2 c. à table (25 ml) de persil frais haché
1 c. à table (15 ml) de lait
2 boîtes de 8 oz (240 g) de croissants réfrigérés
1 oeuf battu
1 c. à thé (5 ml) d'eau froide

- Préchauffer le four à 375°F (190°C).
- Bien mélanger le fromage à la crème, le bacon, le fromage parmesan, l'oignon, le persil et le lait dans un petit bol à la vitesse moyenne d'un batteur électrique.
- Séparer la pâte en huit rectangles; obturer les perforations en appuyant fermement. Tartiner chaque rectangle de 2 c. à table combles (un peu plus de 25 ml) de mélange au fromage à la crème.
- Couper chaque rectangle en quatre à la diagonale. Couper en travers pour former six triangles. Replier les pointes sur le mélange.
- Placer sur une plaque à biscuit graissée; badigeonner d'un mélange d'oeuf et d'eau. Parsemer de graines de pavot, au goût.
- Cuire de 12 à 15 minutes ou jusqu'à ce que la pâte soit dorée. Servir immédiatement.

Environ 4 douzaines

Préparation : 30 minutes
Cuisson : 15 minutes

TREMPETTE PIZZA

La base de cette trempette piquante est constituée de fromage à la crème «PHILLY» et d'assaisonnements italiens.

1 paquet de 8 oz (240 g) de fromage à la crème de MARQUE PHILADELPHIA, ramolli
1 c. à thé (5 ml) d'assaisonnements italiens
1/8 c. à thé (0,5 ml) de poudre d'ail
1/2 tasse (125 ml) de sauce à pizza
1/2 tasse ou 2 oz (125 ml ou 60 g) de pepperoni haché
1/4 tasse (50 ml) de poivron vert haché
1 boîte de 4 oz (120 g) de morceaux et tiges de champignons, égouttés
1 tasse ou 4 oz (250 ml ou 120 g) de fromage mozzarella partiellement écrémé, à teneur réduite en humidité, en grains KRAFT

- Préchauffer le four à 350°F (180°C).
- Bien mélanger le fromage à la crème et les assaisonnements dans un petit bol à la vitesse moyenne d'un batteur électrique. Foncer un moule à tarte de 9 po (22 cm).
- Couvrir le mélange au fromage à la crème de sauce à pizza; garnir des autres ingrédients.
- Cuire de 15 à 20 minutes ou jusqu'à ce que le mélange soit très chaud et que le fromage soit fondu. Servir avec des craquelins.

10 portions

Préparation : 15 minutes
Cuisson : 20 minutes

Hors-d'oeuvre de croissants et bacon

CARRÉS AU FROMAGE ET AUX POIVRONS ROUGES

1 boîte de 11½ oz (345 g) de torsades de pain de maïs réfrigérées
1 contenant de 8 oz (240 g) de fromage à la crème doux à la ciboulette et à l'oignon de MARQUE PHILADELPHIA
1 oeuf
½ c. à thé (2 ml) de cumin moulu
1½ tasse ou 6 oz (375 ml ou 180 g) de fromage en grains Colby/Monterey Jack KRAFT
1 boîte de 4 oz (120 g) de poivrons rouges hachés, égouttés

- Préchauffer le four à 375°F (190°C).
- Presser le pain de maïs au fond d'un plat allant au four de 13 x 9 po (33 x 22 cm); obturer les perforations en appuyant fermement. Cuire 10 minutes.
- Bien mélanger le fromage à la crème, l'oeuf et le cumin dans un bol de taille moyenne. Ajouter le fromage et les poivrons rouges; bien mélanger. Verser à la cuiller sur l'abaisse.
- Cuire 15 minutes. Couper en carrés.

2 douzaines

Préparation : 10 minutes
Cuisson : 15 minutes

ASSIETTE DE LÉGUMES DU JARDIN

1 tasse (250 ml) d'épinards déchiquetés
½ tasse (125 ml) de persil frais, sans tige
¼ tasse (50 ml) d'eau froide
3 c. à table (50 ml) de tranches d'oignon vert
½ c. à thé (2 ml) de feuilles d'estragon séchées, broyées
1 paquet de 8 oz (240 g) de fromage neufchâtel léger de MARQUE PHILADELPHIA, ramolli
¾ tasse (175 ml) de concombre haché
½ c. à thé (2 ml) de jus de citron
3 gouttes de sauce au poivre piquante
¼ c. à thé (1 ml) de sel

- Mettre les épinards, le persil, l'eau, les oignons et l'estragon dans une petite casserole; porter à ébullition. Réduire l'intensité. Couvrir et mijoter 1 minute. Égoutter.
- Bien mélanger le mélange aux épinards et le reste des ingrédients au robot culinaire ou au mélangeur. Réfrigérer. Servir avec des légumes variés à tremper.

1½ tasse (375 ml)

Préparation : 30 minutes, excluant la réfrigération

Pour des portions individuelles, réunir de petits faisceaux de légumes à l'aide de fines lanières d'oignon vert.

Assiette de légumes du jardin

CROQUE PARISIENNE

Voici une version «canapé» du croque monsieur français... un sandwich jambon-fromage.

1 paquet de 12 oz (360 g) de fromage cheddar fort en grains KRAFT
1 paquet de 8 oz (240 g) de fromage à la crème de MARQUE PHILADELPHIA, ramolli
½ tasse (125 ml) de jambon finement haché
½ tasse (125 ml) de tranches d'oignon vert
2 c. à table (25 ml) de moutarde brune épicée
1 baguette de pain français, finement tranchée
Fromage parmesan 100 % naturel râpé KRAFT

- Bien mélanger tous les ingrédients, sauf le pain et le fromage parmesan, dans un grand bol à la vitesse moyenne d'un batteur électrique.
- Tartiner les tranches de pain du mélange au fromage à la crème; saupoudrer de fromage parmesan.
- Faire griller au four; servir chaud.

Environ 4 douzaines

Préparation : 30 minutes
Cuisson : 5 minutes

QUESADILLAS AUX TROIS POIVRES

Il est plus commode d'assembler ces quesadillas à l'avance.

1 tasse (250 ml) poivron vert en lanières minces
1 tasse (250 ml) de poivron rouge en lanières minces
1 tasse (250 ml) de poivron jaune en lanières minces
½ tasse (125 ml) d'oignon finement tranché
⅓ tasse (75 ml) de margarine PARKAY
½ c. à thé (2 ml) de cumin moulu
1 paquet de 8 oz (240 g) de fromage à la crème de MARQUE PHILADELPHIA, ramolli
1 paquet de 8 oz (240 g) de fromage cheddar fort en grains KRAFT
½ tasse ou 2 oz (125 ml ou 60 g) de fromage parmesan 100 % naturel râpé KRAFT
10 tortillas à la farine de 6 po (15 cm)

- Préchauffer le four à 425°F (220°C).
- Faire revenir les poivrons et les oignons à la margarine dans un grand poêlon. Ajouter le cumin en remuant. Égoutter en réservant le liquide.
- Bien mélanger les fromages dans un petit bol à la vitesse moyenne d'un batteur électrique.
- Verser 2 c. à table (25 ml) de mélange au fromage sur chaque tortilla; garnir du mélange aux poivrons. Plier les tortillas en deux; placer sur une plaque à gâteaux. Badigeonner avec le liquide des poivrons.
- Cuire 10 minutes. Couper chaque tortilla en trois. Servir chaud accompagné de salsa.

2½ douzaines

Préparation : 20 minutes
Cuisson : 10 minutes

Suggestion : Pour prendre de l'avance, préparer la recette sans la cuire. Couvrir et réfrigérer. Au moment de servir, cuire à 425°F (220°C) de 15 à 20 minutes ou jusqu'à ce que la recette soit chaude.

Quesadillas aux trois poivres

TARTINADE RICOTTA-ÉPINARDS

1 litre d'épinards frais hachés
½ tasse (125 ml) d'oignon haché
1 paquet de 8 oz (240 g) de fromage neufchâtel léger de MARQUE PHILADELPHIA, ramolli
¾ tasse (175 ml) de fromage ricotta réduit en matières grasses
½ c. à thé (2 ml) de feuilles de basilic séchées, moulues
½ c. à thé (2 ml) de feuilles d'origan séchées, moulues
¼ c. à thé (1 ml) de sel
⅛ c. à thé (0,5 ml) de poudre d'ail
⅛ c. à thé (0,5 ml) de poivre
¾ tasse (175 ml) de tomates hachées
2 c. à table (25 ml) de fromage parmesan 100 % naturel râpé KRAFT

- Préchauffer le four à 350°F (180°C).
- Cuire les épinards et les oignons dans une petite casserole durant 5 minutes ou jusqu'à ce qu'ils soient tendres.
- Bien mélanger les fromages et les assaisonnements dans un petit bol à la vitesse moyenne d'un batteur électrique. Ajouter le mélange aux épinards en remuant; foncer un moule à tarte de 9 po (22 cm).
- Cuire de 15 à 20 minutes ou jusqu'à ce que la préparation soit très chaude. Garnir du reste des ingrédients. Servir avec des craquelins de seigle ou des baguels. *12 portions*

Préparation : 15 minutes
Cuisson : 20 minutes

MICRO-ONDES : • Mettre les épinards et les oignons dans une casserole de 2 litres; couvrir. Cuire à HAUTE INTENSITÉ 3 ou 4 minutes ou jusqu'à ce que les légumes soient tendres; égoutter.
• Bien mélanger les fromages et les assaisonnements dans un petit bol à la vitesse moyenne d'un batteur électrique. Ajouter le mélange aux épinards en remuant; foncer un moule à tarte de 9 po (22 cm).
• Cuire à HAUTE INTENSITÉ de 4 à 6 minutes ou jusqu'à ce que le mélange soit très chaud, en remuant toutes les 2 minutes. Remuer avant de servir. Garnir du reste des ingrédients. Servir avec des craquelins de seigle ou des baguels.

Cuisson au micro-ondes : 10 minutes

SATAY INDONÉSIEN

4 poitrines de poulet (environ 2 lb - 1 kg), désossées, dépouillées de leur peau, en lanières
¼ tasse (50 ml) de jus de limette
2 gousses d'ail hachées
1 c. à thé (5 ml) de zeste de limette râpé
½ c. à thé (2 ml) de gingembre moulu
½ c. à thé (2 ml) de poivre de Cayenne
Sauce épicée aux arachides

- Faire mariner le poulet 1 heure au réfrigérateur dans le jus de limette, l'ail, le zeste, le gingembre et le poivre.
- Préparer les charbons pour le gril.
- Enfiler chaque lanière de poulet sur une brochette de bois différente; placer sur une grille graissée au-dessus des charbons rougeoyants. Griller, sans couvrir, de 3 à 5 minutes de chaque côté ou jusqu'à ce que la viande soit tendre. Servir avec la sauce épicée aux arachides.

15 portions

SAUCE ÉPICÉE AUX ARACHIDES

1 paquet de 8 oz (240 g) de fromage à la crème de MARQUE PHILADELPHIA, en cubes
½ tasse (125 ml) de lait
3 c. à table (50 ml) de beurre d'arachides
2 c. à table (25 ml) de cassonade tassée
½ c. à thé (2 ml) de cardamome moulue
⅛ c. à thé (0,5 ml) de poivre de Cayenne

- Remuer les ingrédients dans une petite casserole à feu doux jusqu'à l'obtention d'une consistance homogène.

Préparation : 20 minutes, excluant le marinage
Cuisson : 10 minutes

Variante : Préparer le poulet tel qu'indiqué, sans le cuire. Placer les brochettes sur la grille d'un plat à rôtir. Griller de 10 à 15 minutes ou jusqu'à ce que la viande soit tendre, en lui faisant faire un demi-tour à la mi-temps de cuisson.

Satay indonésien

FRAPPÉ AUX ABRICOTS

Pour un effet glacé et givré, utilisez des verres préalablement placés au congélateur durant 10 minutes.

2 tasses (500 ml) de nectar d'abricot
½ tasse (125 ml) de produit de fromage à la crème fondu pasteurisé léger de MARQUE PHILADELPHIA
1 tasse (250 ml) de boisson gazeuse hypocalorique au gingembre
3 c. à table (50 ml) de jus d'orange ou de liqueur à l'orange
½ c. à thé (2 ml) de vanille
3 cubes de glace

- Bien mélanger le produit de fromage à la crème au robot culinaire ou au mélangeur en y incorporant graduellement le nectar.
- Incorporer la boisson au gingembre, le jus d'orange et la vanille; bien mélanger. Ajouter la glace; mélanger 1 minute. Garnir de fruits frais, au goût.

6 portions

Préparation : 10 minutes

BOISSON GIVRÉE AUX FRAISES

Une délicieuse façon de déguster des fraises fraîches.

1 contenant de 8 oz (240 g) de fromage à la crème doux aux fraises de MARQUE PHILADELPHIA
1 demi-litre de fraises équeutées
1 tasse (250 ml) de yogourt glacé aux fraises réduit en matières grasses
1 tasse (250 ml) de boisson gazeuse hypocalorique à la lime-citron
1 c. à table (15 ml) de sucre ou 3 sachets de substitut de sucre

- Bien mélanger le fromage à la crème et les fraises au robot culinaire ou au mélangeur.
- Incorporer le yogourt glacé, la boisson à la lime-citron et le sucre. Servir sur de la glace, au goût.

6 portions

Préparation : 15 minutes

BOUCHÉES À L'AIL ET AUX FINES HERBES

Pour une délicieuse alternative, vous pouvez remplacer le pepperoni par du jambon finement haché ou en petits morceaux ou du bacon croustillant.

2 boîtes de 7,5 oz (225 g) de biscuits au babeurre réfrigérés
1 contenant de 8 oz (240 g) de fromage à la crème doux aux herbes et à l'ail de MARQUE PHILADELPHIA
6 oz (180 g) de pepperoni finement haché
1 oeuf battu

- Préchauffer le feu à 400°F (200°C).
- Séparer chaque biscuit en deux. Étirer la pâte avec soin pour former des cercles de 3 po (7,5 cm).
- Bien mélanger le fromage à la crème et le pepperoni dans un petit bol. Verser 1 ½ c. à thé (7 ml) de mélange au fromage à la crème au centre de chaque cercle de pâte. Plier en deux; sceller en appuyant sur les rebords.
- Placer sur une plaque à biscuits. Badigeonner avec l'oeuf. Cuire de 8 à 10 minutes ou jusqu'à ce que la pâte soit dorée. Servir immédiatement.

Environ 3½ douzaines

Préparation : 10 minutes
Cuisson : 10 minutes

G.: frappé aux abricots, dr.: boisson givrée aux fraises

TORTILLAS REVIGORANTES

Ces savoureuses tortillas sont farcies de légumes frais et croquants, de fromage à la crème «PHILLY» et d'assaisonnements épicés.

1 contenant de 8 oz (240 g) de produit de fromage à la crème fondu pasteurisé léger de MARQUE PHILADELPHIA
2 c. à thé (10 ml) d'assaisonnement au Chili
1 c. à thé (5 ml) de feuilles d'origan séchées, broyées
½ c. à thé (2 ml) de cumin moulu
¼ c. à thé (1 ml) de sauce piquante au poivre
1 tasse (250 ml) de tomate grossièrement hachée
½ tasse (125 ml) de concombre grossièrement haché
½ tasse (125 ml) de petits bouquets de brocoli
½ tasse (125 ml) de carottes grossièrement hachées
¼ tasse (50 ml) de tranches d'oignon vert
2 c. à table (25 ml) de poivron vert haché
8 tortillas à la farine de 6 po (15 cm)

- Préchauffer le four à 325°F (160°C).
- Bien mélanger le produit de fromage à la crème et les assaisonnements dans un grand bol. Incorporer les légumes.
- Envelopper les tortillas dans du papier d'aluminium. Cuire 15 minutes.
- Verser à la cuiller ⅓ tasse (75 ml) de mélange aux légumes sur chaque tortilla; enrouler. Servir avec de la salsa, au goût.

4 portions

Préparation : 15 minutes
Cuisson : 15 minutes

BÛCHE AU FROMAGE ET AUX NOIX

Les pistaches procurent une saveur particulière à cette recette que vous pouvez préparer à l'avance.

1½ tasse ou 6 oz (375 ml ou 180 g) de fromage cheddar fort en grains KRAFT
4 oz (120 g) de fromage à la crème de MARQUE PHILADELPHIA, ramolli
2 c. à table (25 ml) d'oignon vert finement haché
2 c. à table (25 ml) de poivron rouge finement haché
1 petite gousse d'ail hachée
2 c. à thé (10 ml) de sauce worcestershire au vin blanc
4 oz (120 g) de fromage à la crème de MARQUE PHILADELPHIA, ramolli
½ tasse ou 2 oz (125 ml ou 60 g) de grains de fromage bleu KRAFT
2 c. à table (25 ml) de lait
⅓ tasse (75 ml) de pistaches rouges ou naturelles finement hachées

- Bien mélanger le fromage cheddar et 4 oz (120 g) de fromage à la crème dans un petit bol à la vitesse moyenne d'un batteur électrique. Ajouter les oignons, les poivrons, l'ail et la sauce worcestershire; bien mélanger. Réfrigérer 30 minutes.
- Bien mélanger le reste du fromage à la crème, le fromage bleu et le lait dans un petit bol à la vitesse moyenne du batteur.
- Modeler le mélange au fromage cheddar en forme d'une bûche de 8 po (20 cm). Tartiner uniformément la surface apparente de mélange au fromage bleu. Couvrir de pistaches. Réfrigérer plusieurs heures.

10 à 12 portions

Préparation : 20 minutes, excluant la réfrigération

Bûche au fromage et aux noix

TIMBALES DIJONNAISES AU JAMBON

1 paquet de 17 1/4 oz (520 g) de feuilles de pâte feuilletée prêtes-à-cuire, décongelées
1 contenant de 8 oz (240 g) de fromage à la crème doux à la ciboulette et à l'oignon de MARQUE PHILADELPHIA
1 tasse ou 4 oz (250 ml ou 120 g) de fromage suisse en grains KRAFT
4 tranches de jambon fumé OSCAR MAYER, hachées
1/3 tasse (75 ml) de poivron rouge haché
1 oeuf battu
2 c. à table (25 ml) de moutarde de Dijon

- Préchauffer le four à 425°F (220°C).
- Sur une surface légèrement farineuse, rouler la pâte en deux rectangles de 12 x 9 po (30 x 22 cm). Couper chaque rectangle en douze carrés de 3 po (7,5 cm).
- Placer les carrés de pâte, coins relevés, dans des moules à muffins de taille moyenne.
- Bien mélanger le reste des ingrédients dans un bol de taille moyenne. Verser à la cuiller 1 c. à table (15 ml) du mélange au fromage dans chaque moule.
- Cuire de 15 à 18 minutes ou jusqu'à ce que la pâte soit dorée.

2 douzaines

Préparation : 20 minutes
Cuisson : 18 minutes

NOUILLES WONTON CROUSTILLANTES À LA SAUCE ORIENTALE

L'huile de sésame et le vin de riz chinois ajoutent un mélange de saveurs unique à cette recette. Pour prendre de l'avance, vous pouvez assembler les nouilles wonton, les envelopper hermétiquement avec une pellicule de plastique et les réfrigérer jusqu'au moment de cuire.

1/2 lb (250 g) de porc haché, cuit, bien égoutté
1 contenant de 8 oz (240 g) de fromage à la crème doux à la ciboulette et à l'oignon de MARQUE PHILADELPHIA
1 c. à thé (5 ml) de racine de gingembre frais, pelé et haché
1 c. à thé (5 ml) d'huile de sésame
32 pâtes de nouilles wonton
Graines de sésame
Sauce orientale

- Préchauffer le four à 425°F (220°C).
- Bien mélanger la viande, le fromage à la crème, le gingembre et l'huile de sésame dans un bol de taille moyenne.
- Verser 1 c. à table (15 ml) de mélange à la viande au centre de chaque pâte wonton. Rassembler les quatre coins, les tourner et pincer pour contenir la viande. Aplatir le dessous.
- Placer dans un moule à gâteau roulé de 15 x 10 x 1 po (38 x 25 x 2,5 cm). Badigeonner légèrement d'eau; parsemer de graines de sésame.
- Cuire de 10 à 12 minutes ou jusqu'à ce que la pâte soit dorée. Démouler; assécher sur des serviettes de papier. Servir avec la sauce orientale.

12 amuse-gueule

SAUCE ORIENTALE

2 c. à table (25 ml) de sauce de soya
1 c. à table (15 ml) de vin de riz chinois
1 c. à table (15 ml) d'eau froide

- Bien mélanger les ingrédients dans un petit bol.

Préparation : 25 minutes
Cuisson : 12 minutes

Nouilles wonton croustillantes à la sauce orientale

BÂTONNETS DE PAIN BELLISIMA

Un casse-croûte fantastique, simple et unique!

Tranches de jambon bouilli OSCAR MAYER
Fromage à la crème doux aux herbes et à l'ail de MARQUE PHILADELPHIA
Bâtonnets de pain

- Tartiner chaque tranche de jambon de fromage à la crème; couper dans le sens de la longueur en lanières de 1/2 po (1 cm). Enrouler le jambon autour des bâtonnets.

LAIT FOUETTÉ À LA BANANE

Garnir ce lait fouetté de tranches de banane trempées dans le chocolat.

1 1/2 tasse (375 ml) de lait écrémé
1/2 tasse (125 ml) de produit de fromage à la crème fondu pasteurisé léger de MARQUE PHILADELPHIA
1 grosse banane, en morceaux
3 c. à table (50 ml) de sirop de chocolat
6 cubes de glace

- Bien mélanger le produit de fromage à la crème au robot culinaire ou au mélangeur en y incorporant graduellement le lait.
- Incorporer les bananes et le sirop; bien mélanger. Ajouter la glace; mélanger 1 minute.

4 portions

Préparation : 10 minutes

GÂTEAUX DE MAÏS SAVOUREUX

Une variante savoureuse des beignets aux pommes, ces gâteaux de maïs sont délicieux en toutes occasions comme amuse-gueule ou comme casse-croûte, ou peuvent encore accompagner un plat principal.

2 paquets de 8 oz (240 g) de fromage à la crème de MARQUE PHILADELPHIA, ramolli
1/4 tasse (50 ml) de tranches d'oignon vert
Salsa
1 oeuf
1 paquet de 10 oz (300 g) de maïs sucré BIRDS EYE, décongelé, égoutté
2/3 tasse ou 3 oz (150 ml ou 90 g) de fromage cheddar fort en grains KRAFT
Semoule de maïs
1/4 tasse (50 ml) de farine
1 c. à thé (5 ml) de levure chimique CALUMET
1 c. à thé (5 ml) de sel
2 c. à table (25 ml) de margarine PARKAY
2 c. à table (25 ml) d'huile

- Bien mélanger le fromage à la crème et les oignons dans un grand bol à la vitesse moyenne d'un batteur électrique.
- Diviser le mélange en deux; réserver une moitié comme garniture. Ajouter 1/3 tasse (75 ml) de salsa et l'oeuf à l'autre moitié, en mélangeant bien.
- Ajouter le maïs, le fromage cheddar, 1/3 tasse (75 ml) de semoule de maïs, la farine, la levure chimique et le sel en remuant.
- Rouler de grosses cuillerées à table de mélange de maïs dans de la semoule de maïs; aplatir la pâte pour former de petits pâtés.
- Chauffer la margarine et l'huile dans un grand poêlon. Ajouter les petits pâtés; faire dorer des deux côtés.
- Servir chaud avec le reste du mélange au fromage à la crème et de la salsa.

Environ 2 douzaines

Préparation : 30 minutes
Cuisson : 15 minutes

◆◆◆

Pour faciliter la manipulation, rouler des boules dans la semoule de maïs; aplatir du revers d'une spatule dans le poêlon.

Gâteaux de maïs savoureux

AMUSE-GUEULE DES ILES GRECQUES

Il peut être plus commode de préparer les boulettes de viande à l'avance et de les congeler.

1 livre (500 g) de boeuf haché
1 livre (500 g) d'agneau haché
2 oeufs
½ tasse (125 ml) d'oignon finement haché
2 gousses d'ail hachées
2 c. à thé (10 ml) de moutarde sèche
1 c. à thé (5 ml) de feuilles de thym séché, broyées
1 c. à thé (5 ml) de coriandre moulue
½ c. à thé (2 ml) de sel
½ c. à thé (2 ml) de poivre
Sauce au concombre

- Préchauffer le four à 350°F (180°C).
- Bien mélanger la viande, les oeufs, les oignons, l'ail et les assaisonnements dans un grand bol. Former des boulettes de 1 po (2,5 cm). Placer sur la grille du four dans un moule à gâteau roulé de 15 x 10 x 1 po (38 x 25 x 2,5 cm).
- Cuire de 15 à 20 minutes ou jusqu'à ce que les boulettes soient dorées. Servir avec la sauce au concombre.

Environ 6 douzaines

SAUCE AU CONCOMBRE

1 contenant de 8 oz (240 g) de fromage à la crème doux aux herbes et à l'ail de MARQUE PHILADELPHIA
½ tasse (125 ml) de yogourt nature
1 c. à table (15 ml) de jus de citron
½ tasse (125 ml) de concombre râpé, bien égoutté

- Bien mélanger le fromage à la crème, le yogourt et le jus de citron dans un petit bol. Ajouter le concombre en remuant.

Préparation : 35 minutes, excluant la réfrigération
Cuisson : 20 minutes

MICRO-ONDES : • Bien mélanger la viande, les oeufs, les oignons, l'ail et les assaisonnements dans un grand bol. Former des boulettes de 1 po (2,5 cm). Placer la moitié des boulettes dans un moule à tarte de 9 po (22 cm); recouvrir d'un papier ciré. • Cuire à HAUTE INTENSITÉ de 4 à 8 minutes ou jusqu'à ce que le centre des boulettes ne soit plus rose, en disposant les boulettes de nouveau à toutes les 3 minutes. Égoutter. • Recommencer avec les autres boulettes. Servir avec la sauce au concombre.

Préparation au micro-ondes : 16 minutes

AMUSE-GUEULE MÉDITERRANÉEN

1 contenant de 8 oz (240 g) de produit de fromage à la crème fondu pasteurisé léger de MARQUE PHILADELPHIA
2 c. à thé (10 ml) de vinaigre de vin rouge
1 gousse d'ail hachée
½ c. à thé (2 ml) de feuilles d'origan séchées, broyées
½ c. à thé (2 ml) d'assaisonnement poivre-citron
24 craquelins lahvosh de 3 po (7,5 cm) ou 4 pains pita ronds, séparés
1½ tasses (375 ml) d'épinards finement déchiquetés
1 tomate hachée
4 oz (120 g) de fromage feta CHURNY ATHENOS, en grains
½ tasse (125 ml) d'olives mûres grecques, dénoyautées, hachées

- Bien mélanger le produit de fromage à la crème, le vinaigre, l'ail et l'assaisonnement dans un petit bol.
- Tartiner les craquelins du mélange de fromage à la crème. Garnir du reste des ingrédients.

8 portions

Préparation : 20 minutes

Variante : Utiliser un pain lahvosh de 15 po (38 cm) au lieu des craquelins. Suivre les directives de l'emballage.

Le lahvosh est un pain croustillant à la graine de sésame du Moyen-Orient. Consommé traditionnellement comme craquelin, on peut le ramollir en le tenant sous l'eau froide, puis en le plaçant entre deux serviettes humides durant environ 1 heure.

Amuse-gueule méditerranéen

CROUSTILLES PITA GARNIES DE SALAMI ET DE FROMAGE

1 contenant de 8 oz (240 g) de fromage à la crème doux de MARQUE PHILADELPHIA
1 tasse ou 4 oz (250 ml ou 120 g) de fromage mozzarella partiellement écrémé à teneur réduite en humidité, en grains KRAFT
½ tasse (125 ml) de tranches de salami dur OSCAR MAYER, hachées
1 petite tomate, sans pépins, hachée
⅛ c. à thé (0,5 ml) de poivre
Quartiers de pain pita grillés

- Bien mélanger les fromages, le salami, les tomates et le poivre dans un bol de taille moyenne.
- Garnir chaque quartier de pain pita de 1 c. à table comble (un peu plus de 15 ml) de mélange au fromage. Placer sur une plaque à biscuits.
- Griller 3 ou 4 minutes ou jusqu'à ce que le fromage soit fondu.

Environ 4 douzaines

Préparation : 10 minutes
Cuisson : 4 minutes

BOISSON RAFRAÎCHISSANTE AUX CANNEBERGES

2 tasses (500 ml) de boisson hypocalorique aux pommes et aux canneberges
½ tasse (125 ml) de produit de fromage à la crème fondu pasteurisé léger de MARQUE PHILADELPHIA
1 tasse (250 ml) de yogourt glacé à la vanille réduit en matières grasses

- Bien mélanger le produit de fromage à la crème au robot culinaire ou au mélangeur en y incorporant graduellement la boisson aux pommes et aux canneberges.
- Incorporer le yogourt glacé. Servir sur glace, au goût.

4 portions

Préparation : 10 minutes

ROULÉ DE PIZZA

1 baguette de 1 livre (500 g) de pâte à pain italien, décongelée
1 contenant de 8 oz (240 g) de fromage à la crème doux aux herbes et à l'ail de MARQUE PHILADELPHIA
1½ tasse ou 6 oz (375 ml ou 180 g) de fromage mozzarella partiellement écrémé, à teneur réduite en humidité, en grains KRAFT
¾ tasse ou 3 oz (175 ml ou 90 g) de pepperoni
⅓ tasse (75 ml) de poivron vert finement haché
1 c. à table (15 ml) d'huile d'olive
½ c. à thé (2 ml) d'assaisonnements italiens

- Rouler la pâte pour former un rectangle de 15 x 10 po (40 x 25 cm) sur une surface farineuse. Tartiner la pâte de fromage à la crème à 1 po (2,5 cm) des bords.
- Parsemer le fromage à la crème de fromage mozzarella, de pepperoni et de poivrons. Rouler la pâte dans le sens de la longueur; appuyer sur les bords pour fermer. Badigeonner la surface apparente d'huile d'olive; saupoudrer d'assaisonnements.
- Couvrir; laisser lever dans un endroit assez chaud durant 1 heure.
- Préchauffer le four à 350°F (180°C).
- Cuire de 30 à 35 minutes ou jusqu'à ce que la pâte soit dorée.

10 à 12 portions

Préparation : 25 minutes, excluant le levage
Cuisson : 35 minutes

Roulé de pizza

TARTELETTES AUX HERBES ET AU FROMAGE

1 tasse ou 4 oz (250 ml ou 120 g) de fromage à la crème fouettée à la ciboulette de MARQUE PHILADELPHIA
3 c. à table (50 ml) de fromage parmesan 100 % naturel râpé KRAFT
1 c. à table (15 ml) de basilic frais finement haché ou 1/2 c. à thé (2 ml) de feuilles de basilic séchées, broyées
1 tasse ou 4 oz (250 ml ou 120 g) de fromage à la crème fouettée de MARQUE PHILADELPHIA
2 tranches de jambon cuit fumé OSCAR MAYER, finement haché
1/2 c. à thé (2 ml) de poivre noir grossièrement moulu
60 craquelins de table
2 c. à table (25 ml) de persil frais finement haché
1 jaune d'oeuf cuit dur, tamisé

- Bien mélanger le fromage à la crème à la ciboulette, le fromage parmesan et le basilic dans un petit bol.
- Bien mélanger le fromage à la crème nature, le jambon et le poivre dans un petit bol.
- Tartiner un craquelin de 1 c. à thé (5 ml) de mélange au fromage parmesan; tartiner un autre craquelin de 1 c. à thé (5 ml) de mélange au jambon. Réunir les craquelins.
- Agiter le persil et le jaune d'oeuf dans un petit bol; parsemer sur les amuse-gueule. Garnir d'herbes fraîches, au goût.

2 1/2 douzaines

Préparation : 25 minutes

CONCOMBRE AU CONDIMENT

1 paquet de 8 oz (240 g) de fromage à la crème de MARQUE PHILADELPHIA, en cubes
2 c. à table (25 ml) de condiment à la mangue
1 c. à table (15 ml) de racine de gingembre frais pelé et haché
1 gousse d'ail
2 ou 3 concombres anglais ou européens
1/4 tasse (50 ml) de tranches d'oignon vert

- Bien mélanger le fromage à la crème, le condiment, le gingembre et l'ail au robot culinaire ou au mélangeur. Réfrigérer.
- Découper les concombres en tranches diagonales de 1/2 po (1 cm). Retirer l'intérieur à l'aide d'un moule à fruit ou d'une cuiller à thé.
- Remplir du mélange de fromage à la crème. Parsemer d'oignon. Réfrigérer.

Environ 3 douzaines

Préparation : 20 minutes, excluant la réfrigération

PÉPITES DE POULET PIQUANTES

Cette trempette crémeuse à la salsa accompagne avec succès les populaires pépites de poulet.

1 contenant de 8 oz (240 g) de fromage à la crème doux de MARQUE PHILADELPHIA
1/2 tasse (125 ml) de salsa
2 c. à table (25 ml) de lait
1/2 c. à thé (2 ml) de cumin moulu
1/2 c. à thé (2 ml) de poudre d'oignon
1/2 c. à thé (2 ml) de poudre d'ail
1/4 à 1/2 c. à thé (1 ou 2 ml) de poivre de Cayenne
2 paquets de 10,5 oz (315 g) de pépites de poulet congelées

- Bien mélanger tous les ingrédients, sauf les pépites de poulet, dans un petit bol. Réfrigérer.
- Préparer les pépites de poulet selon les indications de l'emballage. Servir avec la trempette au fromage à la crème.

Environ 3 douzaines

Préparation : 10 minutes, excluant la réfrigération
Cuisson : environ 20 minutes

Tartelettes aux herbes et au fromage

ANNEAU AU RAISIN DU PETIT-DÉJEUNER

Le fromage à la crème «PHILLY» ajoute une saveur et une texture délicates à ce gâteau au café et à sa garniture.

1 paquet de 8 oz (240 g) de fromage à la crème de MARQUE PHILADELPHIA
1 tasse (250 ml) d'eau froide
1 paquet de 16 oz (480 g) de préparation pour petit pain chaud
1 oeuf
1 c. à thé (5 ml) de vanille
1/2 tasse (125 ml) de cassonade tassée
1/3 tasse (75 ml) de margarine PARKAY
1/4 tasse (50 ml) de sucre semoule
1 1/2 c. à thé (7 ml) de cannelle moulue
1 1/2 c. à thé (7 ml) de vanille
1/2 tasse (125 ml) de raisins dorés
Garniture à la vanille

- Préchauffer le four à 350°F (180°C).
- Mélanger 6 oz (180 g) de fromage à la crème et l'eau dans une petite casserole. Cuire à feu doux jusqu'à ce que mélange atteigne 115 à 120°F (46 à 49°C), en remuant occasionnellement.
- Remuer la préparation pour petit pain chaud et un sachet de levure dans un grand bol. Ajouter le mélange au fromage à la crème, l'oeuf et 1 c. à thé (5 ml) de vanille, en mélangeant bien jusqu'à ce que la pâte s'écarte du bol.
- Pétrir la pâte sur une surface légèrement farineuse durant 5 minutes ou jusqu'à ce que la pâte soit lisse et élastique. Couvrir; laisser lever dans un endroit assez chaud durant 20 minutes.
- Bien mélanger le reste du fromage à la crème, la cassonade, la margarine, le sucre semoule, la cannelle et 1 1/2 c. à thé (7 ml) de vanille dans un petit bol à la vitesse moyenne d'un batteur électrique.
- Rouler la pâte pour former un rectangle de 20 x 12 po (50 x 30 cm); tartiner de mélange au fromage à la crème à 1 1/2 po (3 cm) des bords. Parsemer de raisins.
- Rouler dans le sens de la longueur, en refermant les bords. Placer sur une plaque à biscuits graissée, la couture vers le bas; former une couronne en appuyant sur les extrémités pour les réunir. Inciser la couronne à une profondeur de 1 po (2,5 cm) à partir du bord extérieur à des intervalles de 2 po (5 cm). Couvrir; laisser lever dans un endroit assez chaud durant 30 minutes.
- Cuire de 30 à 40 minutes ou jusqu'à ce que la pâte soit bien dorée. Refroidir quelque peu. Orner de garniture à la vanille.

8 à 10 portions

GARNITURE À LA VANILLE

1 tasse (250 ml) de sucre à glacer
1 ou 2 c. à table (15 à 25 ml) de lait
1 c. à thé (5 ml) de vanille
1 1/2 c. à thé (2 ml) de cannelle moulue (facultatif)

- Mélanger les ingrédients dans un petit bol jusqu'à l'obtention d'une consistance homogène.

Préparation : 30 minutes, excluant le levage
Cuisson : 40 minutes

Pour pétrir la pâte, la placer sur une surface légèrement farineuse. Replier la pâte vers soi avec les doigts enfarinés; pousser fermement dans l'autre direction du talon de la main. Donner un quart de tour à la pâte et recommencer. Ajouter un peu plus de farine sur la surface au besoin pour éviter que la pâte ne colle.

Anneau au raisin du petit-déjeuner

MUFFINS MAISON AUX BLEUETS

Ces muffins sortent de l'ordinaire grâce au fromage à la crème «PHILLY».

1 paquet de 8 oz (240 g) de fromage à la crème de MARQUE PHILADELPHIA, ramolli
1/4 tasse (50 ml) de sucre
1 jaune d'oeuf
1 c. à thé (5 ml) de vanille
1 paquet de 23,5 oz (705 g) de préparation pour muffins aux bleuets
3/4 tasse (175 ml) d'eau froide
1 oeuf
1 c. à thé (5 ml) de zeste de citron râpé
1 c. à thé (5 ml) de cannelle moulue

- Préchauffer le four à 400°F (200°C).
- Bien mélanger le fromage à la crème, le sucre, le jaune d'oeuf et la vanille dans un petit bol à la vitesse moyenne d'un batteur électrique.
- Rincer et égoutter les bleuets de la préparation pour muffins. Mélanger la préparation avec l'eau, l'oeuf et le zeste dans un grand bol (le mélange sera grumeleux). Ajouter les bleuets en remuant. Verser dans un moule à muffins de taille moyenne bien graissé.
- Verser à la cuiller le mélange de fromage à la crème sur la pâte; parsemer d'une combinaison de mélange pour garniture et de cannelle.
- Cuire de 18 à 22 minutes ou jusqu'à ce que la pâte soit légèrement dorée. Refroidir 5 minutes. Dégager les muffins du moule; refroidir avant de démouler

1 douzaine

Préparation : 20 minutes
Cuisson : 22 minutes

Il faut éviter de trop mélanger, ce qui donne des muffins durs et troués. Pour des muffins tendres, creuser un trou dans les ingrédients secs combinés. Verser les liquides combinés, en une seule fois, au centre des ingrédients secs. Remuer juste assez pour humidifier les ingrédients secs. Éviter de trop mélanger.

PETITS PAINS CARAMEL-PACANE

Le fromage à la crème «PHILLY» ajoute une saveur toute spéciale à la pâte.

1 paquet de 8 oz (240 g) de fromage à la crème PHILADELPHIA, en cubes
3/4 tasse (175 ml) d'eau froide
1 paquet de 16 oz (480 g) de préparation pour petit pain chaud
1 oeuf
1/3 tasse (75 ml) de sucre semoule
1 c. à thé (5 ml) de cannelle moulue
1 tasse (250 ml) de pacanes en moitiés
3/4 tasse (175 ml) de cassonade tassée
1/2 tasse (125 ml) de sirop de maïs léger
1/4 tasse (50 ml) de margarine fondue

- Préchauffer le four à 350°F (180°C).
- Mélanger 6 oz (180 g) de fromage à la crème et l'eau dans une petite casserole. Cuire à feu doux jusqu'à ce que le mélange atteigne 115 à 120°F (46 à 49°C), en remuant occasionnellement.
- Remuer la préparation pour petit pain chaud et un sachet de levure dans un grand bol. Ajouter le mélange de fromage à la crème et l'oeuf, en mélangeant jusqu'à ce que la pâte s'écarte du bol.
- Pétrir la pâte sur une surface légèrement farineuse durant 5 minutes ou jusqu'à ce qu'elle soit lisse et élastique. Couvrir; laisser lever dans un endroit assez chaud durant 20 minutes.
- Bien mélanger le reste du fromage à la crème, le sucre semoule et la cannelle dans un petit bol à la vitesse moyenne d'un batteur électrique.
- Rouler la pâte pour former un rectangle de 18 x 12 po (45 x 30 cm); tartiner la pâte du mélange de fromage à la crème à 1 po (2,5 cm) des bords.
- Rouler dans le sens de la longueur, en fermant les bords. Couper en 24 tranches de 3/4 po (1,6 cm).
- Mélanger le reste des ingrédients dans un petit bol. Verser 2 c. à thé (10 ml) de mélange aux pacanes dans des moules à muffins graissés de taille moyenne.
- Mettre la pâte, côté coupé vers le haut, dans les moules. Couvrir; laisser lever dans un endroit assez chaud durant 30 minutes.
- Cuire de 20 à 25 minutes ou jusqu'à ce que la pâte soit dorée. Renverser immédiatement dans une assiette.

2 douzaines

Préparation : 30 minutes, excluant le levage
Cuisson : 25 minutes

H.: muffins maison aux bleuets; b.: petits pains caramel-pacanes

PAIN AUX DEUX FROMAGES ET AUX HERBES

1 paquet de 8 oz (240 g) de fromage à la crème de MARQUE PHILADELPHIA, ramolli
2 c. à table (25 ml) de margarine PARKAY
1 c. à table (15 ml) de sucre
2 oeufs
1/2 tasse (125 ml) de lait
1 1/2 tasse ou 6 oz (375 ml ou 180 g) de fromage cheddar fort en grains KRAFT
1 c. à table (15 ml) de tranches d'oignon vert
2 tasses (500 ml) de farine
2 c. à thé (10 ml) de levure chimique CALUMET
3/4 c. à thé (3 ml) d'assaisonnements italiens
1/4 c. à thé (1 ml) de sel

- Préchauffer le four à 350°F (180°C).
- Bien mélanger le fromage à la crème, la margarine et le sucre dans un grand bol à la vitesse moyenne d'un batteur électrique. Ajouter les oeufs et le lait; bien mélanger.
- Agiter dans un grand bol le fromage, les oignons et les ingrédients secs combinés. Ajouter le mélange de fromage à la crème, en mélangeant juste assez pour humidifier les ingrédients secs (le mélange sera épais).
- Verser dans un moule à pain graissé et fariné de 9 x 5 po (22 x 12 cm).
- Cuire de 45 à 50 minutes ou jusqu'à ce que la pâte soit dorée. Refroidir 5 minutes; démouler. Refroidir complètement.

1 pain

Préparation : 20 minutes
Cuisson : 50 minutes

PÂTISSERIE DANOISE AU FROMAGE À LA CRÈME ET AUX PACANES

1 feuille de pâte feuilletée prête-à-cuire, décongelée
2 paquets de 3 oz (90 g) de fromage à la crème de MARQUE PHILADELPHIA, ramolli
1/4 tasse (50 ml) de sucre à glacer
1 oeuf
1 c. à thé (5 ml) de vanille
3/4 tasse (175 ml) de pacanes hachées
Garniture crémeuse

- Préchauffer le four à 375°F (190°C).
- Déplier la pâte; rouler pour former un rectangle de 15 x 10 po (38 x 25 cm). Placer dans un moule à gâteau roulé.
- Bien mélanger 6 oz (180 g) de fromage à la crème, le sucre à glacer, l'oeuf et la vanille dans un petit bol à la vitesse moyenne d'un batteur électrique. Ajouter 1/2 tasse (125 ml) de pacanes en remuant.
- Tartiner la pâte de mélange au fromage à la crème à 3 po (7,5 cm) des bords.
- Inciser la pâte à une profondeur de 2 po (5 cm) à des intervalles de 1 po (2,5 cm) dans le sens de la longueur. Entrecroiser la pâte sur la garniture.
- Cuire de 25 à 30 minutes ou jusqu'à ce que la pâte soit dorée. Refroidir.
- Garnir d'une bruine de garniture crémeuse. Parsemer du reste des pacanes.

10 à 12 portions

GARNITURE CRÉMEUSE

1 paquet de 3 oz (90 g) de fromage à la crème de MARQUE PHILADELPHIA, ramolli
3/4 tasse (175 ml) de sucre à glacer
1 c. à table (15 ml) de lait

- Battre les ingrédients jusqu'à l'obtention d'une consistance homogène.

Préparation : 20 minutes
Cuisson : 30 minutes

Pâtisserie danoise au fromage à la crème et aux pacanes

BABA AU RHUM ET À L'ORANGE

1 paquet de 8 oz (240 g) de fromage à la crème de MARQUE PHILADELPHIA, en cubes
1 tasse (250 ml) de jus d'orange
2 c. à table (25 ml) de margarine PARKAY
2 c. à table (25 ml) de sucre
1 c. à thé (5 ml) de zeste d'orange râpé
1 c. à table (15 ml) de rhum
1 paquet de 16 oz (480 g) de préparation pour petit pain chaud
1 oeuf
2 tasses (500 ml) d'eau froide
1 tasse (250 ml) de sucre
3 c. à table (50 ml) de rhum
2 c. à table (25 ml) de vanille
Garniture à l'orange

- Préchauffer le four à 350°F (180°C).
- Mélanger le fromage à la crème, le jus, la margarine, 2 c. à table (25 ml) de sucre et le zeste dans une petite casserole. Cuire à feu doux jusqu'à ce que le mélange atteigne 115 à 120°F (46 à 49°C), en remuant occasionnellement. Ajouter en remuant 1 c. à table (15 ml) de rhum.
- Remuer la préparation pour petit pain chaud et un sachet de levure dans un grand bol. Incorporer le mélange de fromage à la crème et l'oeuf, en mélangeant jusqu'à ce que la pâte s'écarte du bol.
- Pétrir la pâte sur une surface légèrement farineuse durant 5 minutes ou jusqu'à ce que la pâte soit lisse et élastique. Couvrir; laisser lever dans un endroit assez chaud durant 20 minutes.
- Placer la pâte dans un moule à savarin de 6½ po (5 cm) graissé. Couvrir; laisser lever dans un endroit assez chaud jusqu'à ce que la pâte double de volume, soit durant environ 35 minutes.
- Cuire de 30 à 35 minutes ou jusqu'à ce que la pâte soit dorée. Refroidir quelque peu.
- Faire dissoudre 1 tasse (250 ml) de sucre dans l'eau dans une petite casserole à feu doux. Ajouter 3 c. à table (50 ml) de rhum et la vanille en remuant. Réserver ¾ tasse (175 ml) de sirop pour la garniture à l'orange.
- Piquer le gâteau plusieurs fois avec une fourchette. Verser 1 tasse (250 ml) de sirop sur le gâteau; laisser reposer 15 minutes. Renverser dans une assiette à rebord; piquer le gâteau à nouveau plusieurs fois. Verser le reste du sirop sur le gâteau. Orner d'une bruine de garniture à l'orange. Servir avec de la crème fouettée et des fruits saisonniers, au goût.

10 à 12 portions

GARNITURE À L'ORANGE

¾ tasse (175 ml) de sirop réservé
1 c. à table (15 ml) de farine de maïs
1 c. à thé (5 ml) de zeste d'orange

- Ajouter graduellement le sirop réservé à la farine de maïs dans une petite casserole.
- Porter à ébullition à feu moyen, en remuant constamment. Bouillir 1 minute. Ajouter le zeste en remuant.

Préparation : 45 minutes, excluant le levage
Cuisson : 35 minutes

Les fours offrent un environnement idéal pour le levage des pains. Une cuisinière à gaz réchauffée par la veilleuse ou une cuisinière électrique réglée à la plus faible intensité durant 1 minute seulement produiront suffisamment de chaleur pour le levage.

Baba au rhum et à l'orange

PETITS PAINS AUX FRUITS ET AU CITRON

Dégustés par les Anglais à l'heure du thé, ces petits pains ont meilleur goût lorsqu'ils sont servis assez chauds, tartinés de fromage à la crème doux à l'ananas de MARQUE PHILADELPHIA.

2 tasses (500 ml) de farine
1/3 tasse (75 ml) de cassonade tassée
2 1/2 c. à thé (12 ml) de levure chimique CALUMET
1/4 c. à thé (1 ml) de sel
1/2 tasse (125 ml) de margarine PARKAY
3/4 tasse (175 ml) de fruits séchés mélangés, en dés
2 c. à table (25 ml) de zeste d'orange râpé
4 oz (120 g) de fromage à la crème de MARQUE PHILADELPHIA, ramolli
Lait

- Préchauffer le four à 400°F (200°C).
- Mélanger les ingrédients secs dans un bol de taille moyenne; y couper la margarine jusqu'à ce que le mélange forme une chapelure grossière. Ajouter le zeste et les fruits séchés en remuant.
- Bien mélanger le fromage à la crème et 1/4 tasse (50 ml) de lait dans un petit bol. Incorporer aux ingrédients secs, en mélangeant juste assez pour les humidifier. Ajouter du lait, 1 c. à table (15 ml) à la fois, en mélangeant jusqu'à ce que la pâte forme une boule. Pétrir dix fois.
- Sur une surface farineuse, rouler la pâte pour former un rectangle de 12 x 9 po (30 x 22 cm). Couper en 12 carrés de 3 po (7,5 cm); couper chaque carré en deux, à la diagonale. Placer sur une plaque à biscuits graissée.
- Cuire 12 à 15 minutes ou jusqu'à ce que la pâte soit légèrement dorée. Servir assez chaud.

2 douzaines

Préparation : 15 minutes
Cuisson : 15 minutes

PETITS PAINS PASCALS GLACÉS DE VANILLE

Une gâterie spéciale pour Pâques... le fromage à la crème doux à l'ananas «PHILLY» et le yogourt au piña colada ajoutent une saveur et une texture riches et uniques à ces délicieux petits pains.

1 contenant de 8 oz (240 g) de fromage à la crème doux à l'ananas de MARQUE PHILADELPHIA
1 contenant de 8 oz (240 g) de yogourt au piña colada
2 c. à table (25 ml) de margarine PARKAY
1 paquet de 16 oz (480 g) de préparation pour petit pain chaud
1/3 tasse (75 ml) de sucre semoule
1 oeuf
Garniture à la vanille

- Préchauffer le four à 350°F (180°C).
- Bien mélanger le fromage à la crème, le yogourt et la margarine dans une petite casserole. Cuire à feu doux jusqu'à ce que le mélange atteigne 115 à 120°F (46 à 49°C), en remuant occasionnellement.
- Remuer la préparation pour petit pain chaud, un sachet de levure et le sucre semoule dans un grand bol. Incorporer le mélange de fromage à la crème et l'oeuf, en mélangeant jusqu'à ce que la pâte s'écarte du bol.
- Pétrir la pâte sur une surface légèrement farineuse durant 5 minutes ou jusqu'à ce qu'elle soit lisse et élastique. Couvrir; laisser lever dans un endroit assez chaud durant 20 minutes.
- Diviser la pâte en 24 boulettes. Les placer à une distance de 2 po (5 cm) sur des plaques à biscuits graissées. Inciser la pâte de façon entrecroisée, à une profondeur de 1/2 po (5 cm). Couvrir; laisser lever dans un endroit assez chaud durant 30 minutes.
- Cuire de 20 à 22 minutes ou jusqu'à ce que la pâte soit légèrement dorée. Tremper les petits pains chauds dans la garniture à la vanille.

2 douzaines

GARNITURE À LA VANILLE

1 1/2 tasse (375 ml) de sucre à glacer
3 c. à table (50 ml) de sirop de maïs léger
3 c. à table (50 ml) d'eau froide
2 c. à thé (10 ml) de vanille

- Mélanger les ingrédients dans un petit bol jusqu'à l'obtention d'une consistance homogène.

Préparation : 30 minutes, excluant le levage
Cuisson : 22 minutes

Petits pains pascals glacés de vanille

PAIN AU CITRON ET AUX CANNEBERGES

1 paquet de 8 oz (240 g) de fromage à la crème de MARQUE PHILADELPHIA, ramolli
1/3 tasse (75 ml) de margarine PARKAY
1 1/4 tasse (300 ml) de sucre
1 c. à thé (5 ml) de vanille
3 oeufs
2 c. à table (25 ml) de jus de citron
1 c. à thé (5 ml) de zeste de citron râpé
1 1/2 tasse (375 ml) de canneberges hachées
2 1/4 tasse (550 ml) de farine
2 c. à thé (10 ml) de levure chimique CALUMET
1/2 c. à thé (2 ml) de bicarbonate de soude

- Préchauffer le four à 325°F (160°C).
- Bien mélanger le fromage à la crème, la margarine, le sucre et la vanille dans un grand bol à la vitesse moyenne d'un batteur électrique. Incorporer les oeufs, un à la fois, en mélangeant après chaque addition. Ajouter le jus et le zeste de citron en remuant.
- Agiter les canneberges et les ingrédients secs combinés dans un grand bol. Ajouter le mélange de fromage à la crème, en mélangeant juste assez pour humidifier les ingrédients.
- Verser dans un moule à pain graissé et fariné de 9 x 5 po (22 x 12 cm). Cuire 1 heure 15 minutes. Refroidir 5 minutes; démouler. Refroidir complètement.

1 pain

Préparation : 15 minutes
Cuisson : 1 heure 15 minutes

GÂTEAU À LA CRÈME ET AUX POIRES

Incroyablement délicieux... parfait pour le brunch ou comme dessert.

1 boîte de 29 oz (870 g) de poires en moitiés dans leur sirop
1 paquet de 8 oz (240 g) de fromage à la crème de MARQUE PHILADELPHIA, ramolli
1/4 tasse (50 ml) d'abricots en conserve KRAFT
2 c. à table (25 ml) de margarine PARKAY
1 paquet de 9 oz (270 g) de préparation pour gâteau au beurre
2 c. à table (25 ml) d'huile
1 oeuf
1 c. à thé (5 ml) de gingembre moulu

- Préchauffer le four à 350°F (180°C).
- Égoutter les poires, en réservant 1/2 tasse (125 ml) de sirop. Trancher les poires; les disposer au fond d'un moule à gâteau carré de 8 po (20 cm).
- Bien mélanger le fromage à la crème, les abricots et la margarine dans un petit bol à la vitesse moyenne d'un batteur électrique; verser sur les poires.
- Bien mélanger la préparation pour gâteau, le sirop réservé, l'huile, l'oeuf et le gingembre dans un grand bol à la vitesse moyenne du batteur; verser sur le mélange au fromage à la crème.
- Cuire de 35 à 40 minutes ou jusqu'à ce que le gâteau soit doré. Servir chaud avec de la crème moitié-moitié.

8 à 10 portions

Préparation : 15 minutes
Cuisson : 40 minutes

Gâteau à la crème et aux poires

TRESSE À LA CARDAMOME

1 paquet de 8 oz (240 g) de fromage à la crème de MARQUE PHILADELPHIA, en cubes
⅔ tasse (150 ml) d'eau froide
1 paquet de 16 oz (480 g) de préparation pour petit pain chaud
⅓ tasse (75 ml) de sucre
1 c. à thé (5 ml) de cardamome moulue
1 oeuf battu
1 ou 2 c. à table (15 à 25 ml) de lait
1 c. à table (15 ml) de sucre

- Mettre le fromage à la crème et l'eau dans une petite casserole. Cuire à feu doux jusqu'à ce que le mélange atteigne de 115 à 120°F (46 à 49°C), en remuant occasionnellement jusqu'à ce que le mélange soit homogène. Retirer du feu.
- Mélanger la préparation pour petit pain chaud, un sachet de levure, ⅓ tasse (75 ml) de sucre et la cardamome dans un grand bol. Ajouter le mélange de fromage à la crème et l'oeuf, en mélangeant jusqu'à ce que la pâte s'écarte du bol.
- Sur une surface farineuse, pétrir la pâte 5 minutes ou jusqu'à ce qu'elle soit lisse et élastique. Couvrir; laisser reposer dans un endroit assez chaud durant 20 minutes.
- Diviser la pâte en trois. Former trois cordes de 16 po (40 cm); tresser et pincer les extrémités pour fermer. Placer la tresse sur une plaque à biscuits graissée.
- Couvrir; laisser lever dans un endroit assez chaud durant 30 minutes. Badigeonner de lait; saupoudrer de 1 c. à table (15 ml) de sucre.
- Préchauffer le four à 375°F (190°C).
- Cuire de 25 à 30 minute ou jusqu'à ce que la tresse soit légèrement dorée. Servir avec du fromage à la crème doux de MARQUE PHILADELPHIA et des abricots en conserve, au goût.

1 pain

Préparation : 20 minutes, excluant le levage
Cuisson : 30 minutes

Variante : Ajouter un paquet de 6 oz (180 g) de fruits séchés mélangés en dés aux ingrédients secs.

La cardamome, de la famille du gingembre, est une épice sucrée et aromatique populaire en Inde et en Scandinavie, où on l'utilise comme les mélanges sucre-cannelle en Occident.

PAIN AU TOURBILLON DE CANNELLE

1 paquet de 8 oz (240 g) de fromage à la crème PHILADELPHIA, ramolli
⅔ tasse (150 ml) d'eau froide
1 c. à thé (5 ml) de vanille
1 paquet de 16 oz (480 g) de préparation pour petit pain chaud
⅓ tasse (75 ml) de sucre
1 oeuf battu
1 c. à table (15 ml) de margarine PARKAY, fondue
½ tasse (125 ml) de sucre
2 c. à thé (10 ml) de cannelle moulue
Glaçage à la vanille

- Mettre le fromage à la crème et l'eau dans une petite casserole. Cuire à feu doux jusqu'à ce que le mélange atteigne 115 à 120°F (46 à 49°C), en remuant à l'occasion jusqu'à l'obtention d'une consistance homogène. Retirer du feu. Ajouter la vanille; remuer.
- Remuer la préparation pour petit pain chaud, un sachet de levure et ⅓ tasse (75 ml) de sucre dans un grand bol. Incorporer le mélange de fromage à la crème et l'oeuf; mélanger jusqu'à ce que la pâte s'écarte du bol.
- Sur une surface farineuse, pétrir la pâte 5 minutes ou jusqu'à ce qu'elle soit lisse et élastique. Couvrir; laisser reposer dans un endroit assez chaud durant 30 minutes.
- Sur une surface farineuse, rouler la pâte en un rectangle de 15 x 7 po (38 x 18 cm). Badigeonner de margarine; saupoudrer de ½ tasse (125 ml) de sucre et de cannelle combinés.
- Rouler la pâte dans le sens de la longueur; appuyer sur les extrémités pour fermer. Replier les extrémités sous le pain; placer le pain, la couture vers le bas, dans un moule à pain graissé de 9 x 5 po (22 x 12 cm). Couvrir; laisser lever 30 minutes dans un endroit assez chaud.
- Préchauffer le four à 350°F (180°C).
- Cuire de 45 à 55 minutes ou jusqu'à ce que le pain sonne creux. Démouler; refroidir complètement. Garnir de glaçage à la vanille. *1 pain*

GLAÇAGE À LA VANILLE

1 tasse (250 ml) de sucre à glacer
2 c. à table (25 ml) de lait
¼ c. à thé (1 ml) de vanille

- Mélanger les ingrédients dans un petit bol jusqu'à l'obtention d'une consistance homogène.

Préparation : 20 minutes, excluant le levage
Cuisson : 55 minutes

H. : tresse à la cardamome; b.: pain au tourbillon de cannelle

CARRÉS MATINAUX À LA CRÈME ANGLAISE

2 paquets de 8 oz (240 g) de fromage à la crème de MARQUE PHILADELPHIA, ramolli
½ tasse (125 ml) de sucre semoule
1 c. à thé (5 ml) de vanille
1 oeuf, séparé
2 boîtes de 8 oz (240 g) de croissants réfrigérés
Sucre à glacer tamisé

- Préchauffer le four à 350°F (180°C).
- Bien mélanger le fromage à la crème, le sucre semoule, la vanille et le jaune d'oeuf dans un grand bol à la vitesse moyenne d'un batteur électrique.
- Placer la moitié de la pâte dans un moule à gâteau de 13 x 9 po (33 x 22 cm); obturer les perforations en pressant. Cuire 10 minutes.
- Verser le mélange au fromage à la crème sur l'abaisse. Placer l'autre pâte sur du papier ciré; rouler en un rectangle de 13 x 9 po (33 x 22 cm). Renverser la pâte sur le mélange au fromage à la crème; retirer le papier ciré. Badigeonner d'oeuf blanc battu.
- Cuire de 20 à 25 minutes ou jusqu'à ce que la pâte soit dorée. Refroidir. Saupoudrer de sucre à glacer.

12 à 15 portions

Préparation : 20 minutes
Cuisson : 25 minutes

GÂTEAU AU CAFÉ, AUX CERISES ET AU FROMAGE À LA CRÈME

Servez ce délicieux gâteau au fromage assez chaud avec votre café international GENERAL FOODS préféré.

1½ tasse (375 ml) de farine
1 tasse (250 ml) de gruau à l'avoine vite préparé ou à l'ancienne, non cuit
¾ tasse (175 ml) de sucre
¾ tasse (175 ml) de margarine PARKAY
½ tasse (125 ml) de crème aigre BREAKSTONE'S
1 oeuf
½ c. à thé (2 ml) de bicarbonate de soude
1 paquet de 8 oz (240 g) de fromage à la crème PHILADELPHIA, ramolli
¼ tasse (50 ml) de sucre
¼ c. à thé (1 ml) d'extrait d'amande
1 oeuf
¾ tasse (175 ml) de garniture de tarte à la cerise
⅓ tasse (75 ml) d'amandes tranchées

- Préchauffer le four à 350°F (180°C).
- Mélanger la farine, le gruau et ¾ tasse (175 ml) de sucre dans un grand bol; y couper la margarine jusqu'à ce que le mélange forme une chapelure grossière. Réserver 1 tasse (250 ml) de mélange.
- Incorporer la crème aigre, 1 oeuf et le bicarbonate de soude à la première moitié du mélange au gruau; bien mélanger. Foncer, jusqu'à une hauteur de 2 po (5 cm) des bords, un moule à charnière graissé de 9 po (22 cm).
- Bien mélanger le fromage à la crème, ¼ tasse (50 ml) de sucre et l'extrait d'amande dans un petit bol à la vitesse moyenne d'un batteur électrique. Incorporer 1 oeuf. Verser dans l'abaisse.
- Recouvrir de garniture de tarte. Saupoudrer du mélange au gruau réservé et d'amandes.
- Cuire de 50 à 55 minutes ou jusqu'à ce que le gâteau soit doré. Refroidir 15 minutes. Retirer avec soin les bords du moule. Servir assez chaud ou à la température de la pièce.

10 portions

Préparation : 20 minutes
Cuisson : 55 minutes

Variante : Remplacer la garniture de tarte par des framboises en conserve KRAFT.

Gâteau au café, aux cerises et au fromage à la crème

GÂTEAU DU PETIT-DÉJEUNER À LA BANANE ET AU CARAMEL ÉCOSSAIS

1 paquet de 8 oz (240 g) de fromage à la crème de MARQUE PHILADELPHIA, ramolli
1/3 tasse (75 ml) d'huile
2 oeufs
1/2 c. à thé (2 ml) de vanille
1/2 tasse (125 ml) d'eau froide
1 paquet de 14 oz (420 g) de préparation pour pain à la banane
1/2 tasse (125 ml) de pacanes hachées, grillées
1/2 tasse (125 ml) de groseilles
1 1/2 tasse (375 ml) de bouchées de caramel écossais
Sucre à glacer

- Préchauffer le four à 350°F (180°C).
- Bien mélanger le fromage à la crème, l'huile, les oeufs et la vanille dans un grand bol à la vitesse moyenne d'un batteur électrique. Incorporer l'eau graduellement en mélangeant.
- Ajouter la préparation pour pain en remuant juste assez pour humidifier. Ajouter les pacanes et les groseilles en remuant. Verser dans un moule à gâteau graissé et fariné de 13 x 9 po (33 x 22 cm).
- Parsemer de bouchées de caramel écossais; enfoncer gentiment dans la pâte.
- Cuire 35 minutes ou jusqu'à ce que la préparation n'adhère pas à un cure-dents inséré en son centre. Refroidir. Saupoudrer légèrement de sucre à glacer au moment de servir.

12 portions

Préparation : 20 minutes
Cuisson : 35 minutes

GÂTEAU AU CAFÉ ET AU PIÑA COLADA

1/4 tasse (50 ml) d'amandes hachées
1/4 tasse (50 ml) de cassonade tassée
1/4 tasse (50 ml) de noix de coco BAKER'S ANGEL FLAKE
2 c. à table (25 ml) de farine
1 c. à thé (5 ml) de cannelle moulue
1 contenant de 10 oz (300 g) de concentré de piña colada, décongelé
1 paquet de 8 oz (240 g) de fromage à la crème PHILADELPHIA, ramolli
2 c. à table (25 ml) de jus de limette
3 oeufs
1 paquet de 18,25 oz (550 g) de préparation pour gâteau blanc
Garniture à la limette

- Préchauffer le four à 350°F (180°C).
- Remuer les amandes, la cassonade, la noix de coco, la farine et la cannelle dans un petit bol.
- Réserver 3 c. à table (50 ml) de concentré de piña colada pour la garniture. Bien mélanger le fromage à la crème, le reste du concentré et 2 c. à table (25 ml) de jus de limette dans un grand bol à la vitesse moyenne d'un batteur électrique.
- Ajouter les oeufs, un à la fois, en mélangeant bien après chaque addition. Ajouter la préparation pour gâteau; bien mélanger.
- Verser la moitié de la pâte dans un moule cannelé à cheminée graissé et fariné de 10 po (25 cm).
- Parsemer la pâte du mélange aux amandes; recouvrir du reste de la pâte.
- Cuire de 55 à 60 minutes ou jusqu'à ce que la préparation n'adhère pas à un cure-dents inséré en son centre. Refroidir. Recouvrir de garniture à la limette.

10 à 12 portions

GARNITURE À LA LIMETTE

3 c. à table (50 ml) de concentré de piña colada réservé
2 c. à thé (10 ml) de jus de limette
1 1/2 tasse (500 ml) de sucre à glacer tamisé

- Mélanger le concentré et le jus de limette dans un petit bol jusqu'à l'obtention d'une consistance homogène; ajouter graduellement le sucre à glacer en remuant.

Préparation : 25 minutes
Cuisson : 1 heure

GÂTEAU ALLEMAND ÉPICÉ AUX POIRES ET AUX PRUNES

1/4 tasse (50 ml) de margarine PARKAY, fondue
1/4 tasse (50 ml) de cassonade tassée
1/2 c. à thé (2 ml) de cannelle moulue
1/8 c. à thé (0,5 ml) de clou de girofle
2 poires, pelées, finement tranchées
1 boîte de 16 oz (480 g) de prunes pourpres entières dans un sirop très épais, égouttées, dénoyautées
1 paquet de 8 oz (240 g) de fromage à la crème de MARQUE PHILADELPHIA, ramolli
1/2 tasse (125 ml) de margarine PARKAY
1 1/4 tasse (300 ml) de sucre semoule
2 c. à thé (10 ml) de vanille
2 oeufs
1 3/4 tasses (425 g) de farine
1 c. à thé (5 ml) de levure chimique CALUMET
1/2 c. à thé (2 ml) de bicarbonate de soude
1/4 c. à thé (1 ml) de sel
1/4 tasse (50 ml) de lait

- Préchauffer le four à 350°F (180°C).
- Verser 1/4 tasse (50 ml) de margarine fondue dans un moule à gâteau carré de 9 po (22 cm) en badigeonnant complètement les côtés et le fond du moule. Saupoudrer la cassonade et les épices sur le fond du moule.
- Disposer les tranches de poires en cercle au fond du moule de façon qu'elle se chevauchent quelque peu. Placer les prunes au centre et dans les coins.
- Bien mélanger le fromage à la crème, 1/2 tasse (125 ml) de margarine, le sucre semoule et la vanille dans un grand bol à la vitesse moyenne d'un batteur électrique. Incorporer les oeufs.
- Incorporer alternativement les ingrédients secs et le lait, en mélangeant bien après chaque addition. Étaler la pâte sur les fruits.
- Cuire 1 heure ou jusqu'à ce que la préparation n'adhère pas à un cure-dents inséré en son centre. Refroidir 10 minutes. Renverser sur une assiette de service. Servir assez chaud avec de la crème moitié-moitié ou du lait.

12 portions

Préparation : 30 minutes
Cuisson : 1 heure

GÂTEAU AU CAFÉ DANOIS À L'ORANGE

Ce gâteau au café facile à préparer sera sans aucun doute l'attraction de toute réception.

2 tasses (500 ml) de préparation tout-usage pour pâtisserie
3/4 tasse (175 ml) de jus d'orange
1/2 tasse (125 ml) de sucre semoule
1 oeuf
1 paquet de 8 oz (240 g) de fromage à la crème de MARQUE PHILADELPHIA, ramolli
1/4 tasse (50 ml) de sucre semoule
1 oeuf
1 c. à thé (5 ml) de vanille
1/3 tasse (75 ml) de cassonade tassée
1/3 tasse (75 ml) de noix hachées
1 c. à thé (5 ml) de zeste d'orange râpé
1/2 c. à thé (2 ml) de cannelle moulue

- Préchauffer le four à 350°F (180°C).
- Mélanger la préparation pour pâtisserie, le jus d'orange, 1/2 tasse (125 ml) de sucre semoule et 1 oeuf dans un bol de taille moyenne; verser dans un moule à gâteau carré graissé de 9 po (22 cm). Cuire 10 minutes.
- Bien mélanger le fromage à la crème, 1/4 tasse (50 ml) de sucre semoule, 1 oeuf et la vanille dans un petit bol à la vitesse moyenne d'un batteur électrique; verser sur le gâteau.
- Combiner le reste des ingrédients et en garnir le gâteau.
- Cuire 20 minutes.

6 à 8 portions

Préparation : 20 minutes
Cuisson : 20 minutes

COURONNE DE FRUITS ESTIVALE

Une salade savoureuse que vous pouvez préparer à l'avance et servir en toute occasion. Remplir la couronne de vos fruits frais favoris.

Eau froide
2 paquets de 3 oz (90 g) de gélatine hypocalorique à l'orange de marque JELL-O
1 boîte de 20 oz (600 g) d'ananas broyés dans leur jus non-sucré
1 contenant de 8 oz (240 g) de fromage à la crème doux de MARQUE PHILADELPHIA
2 tasses (500 ml) de tranches de fraises
1 boîte de 11 oz (330 g) de segments de mandarine, égouttés
Laitue en feuilles
Fruits frais variés

- Porter 2 tasses (500 ml) d'eau à ébullition. Incorporer graduellement à la gélatine dans un bol de taille moyenne; remuer jusqu'à dissolution complète.
- Égoutter les ananas, en réservant le jus. Ajouter suffisamment d'eau froide au jus pour obtenir 1½ tasse (375 ml); ajouter à la gélatine en remuant.
- Battre le fromage à la crème dans un grand bol à la vitesse moyenne d'un batteur électrique jusqu'à l'obtention d'une consistance homogène. Incorporer graduellement la gélatine; bien mélanger. Réfrigérer jusqu'à ce que fromage épaississe, sans tout-à-fait prendre; retourner les fruits dans le mélange.
- Verser dans un moule à savarin légèrement huilé de 10 à 12 po (25 à 30 cm). Réfrigérer pour faire prendre.
- Démouler la gélatine sur un lit de laitue; remplir le centre de fruits frais.

Environ 12 portions

Préparation : 20 minutes, excluant la réfrigération

SALADE AUX ÉPINARDS ET AUX FRAMBOISES

1 demi-litre de framboises
2 litres d'épinards déchiquetés
½ tasse (125 ml) de noix hachées, grillées
Vinaigrette aux framboises

- Réserver ½ tasse (125 ml) de framboises pour la vinaigrette.
- Disposer les épinards dans des assiettes; parsemer de framboises et de noix. Garnir tel que désiré. Servir avec la vinaigrette.

8 portions

VINAIGRETTE AUX FRAMBOISES

1 paquet de 8 oz (240 g) de fromage neufchâtel léger de MARQUE PHILADELPHIA, ramolli
½ tasse (125 ml) de framboises réservées
¼ tasse (50 ml) de vinaigre de framboise ou de vinaigre de vin blanc
3 c. à table (50 ml) de sucre
1 c. à table (15 ml) d'huile d'olive
¼ c. à thé (1 ml) de sel

- Bien mélanger les ingrédients au robot culinaire ou au mélangeur.

Préparation : 15 minutes

Pour griller les noix, préchauffer le four à 350°F (180°C). Cuire les noix dans un moule étroit non-graissé durant 10 minutes ou jusqu'à ce qu'elles soient légèrement brunies, en remuant occasionnellement.

Pour griller les noix au micro-ondes, placer 1 c. à table (15 ml) de margarine dans un moule à tarte de 9 po (22 cm). Cuire à HAUTE INTENSITÉ de 30 à 45 secondes ou jusqu'à ce que la margarine soit fondue. Ajouter les noix en remuant. Cuire de nouveau à HAUTE INTENSITÉ de 3½ à 4½ minutes ou jusqu'à ce que les noix soient légèrement brunies, en remuant aux 2 minutes.

Salade aux épinards et aux framboises

SALADE À L'ORANGE ET AUX NOIX DE CAJOU

On peut incorporer la vinaigrette à la salade ou la servir à part - quoi qu'il en soit, préparez-vous à une sensation gustative délicieuse!

2 litres de laitue en feuilles rouge défaite
2 litres de laitue romaine défaite
3 oranges, pelées, sectionnées
Vinaigrette aux noix de cajou
1/2 tasse (125 ml) de noix de cajou grillées à sec

- Agiter la laitue et les oranges dans un grand bol. Servir avec la vinaigrette aux noix de cajou. Garnir de noix de cajou.

8 portions

VINAIGRETTE AUX NOIX DE CAJOU

1/4 tasse (50 ml) de noix de cajou grillées à sec
1 petite gousse d'ail
1 contenant de 8 oz (240 g) de produit de fromage fondu pasteurisé léger de MARQUE PHILADELPHIA
1/4 tasse (50 ml) de yogourt nature
1 c. à table (15 ml) de moutarde de Dijon
Soupçon de poivre blanc

- Hacher finement les noix et l'ail au robot culinaire ou au mélangeur.
- Ajouter le reste des ingrédients; bien mélanger.

Préparation : 15 minutes

COURGETTES ABUNDANZA

Cette combinaison de courgettes et de courges jaunes avec du fromage parmesan deviendra l'un de vos accompagnements préférés.

3 courgettes de taille moyenne, coupées en tranches diagonales de 1/2 po (1 cm)
2 courges jaunes, coupées en tranches diagonales de 1/2 po (1 cm)
1 oignon rouge de taille moyenne, coupé en quartiers
2 c. à table (25 ml) d'huile d'olive
Sauce parmesan

- Faire revenir les légumes à l'huile dans un grand poêlon de 5 à 7 minutes ou jusqu'à ce qu'ils soient mi-tendre, mi-croquants.
- Servir avec la sauce parmesan.

8 portions

SAUCE PARMESAN

1 contenant de 8 oz (240 g) de fromage à la crème doux à la ciboulette et à l'oignon de MARQUE PHILADELPHIA
1/3 tasse (75 ml) de lait écrémé
1/4 tasse ou 1 oz (50 ml ou 30 g) de fromage parmesan 100 % naturel râpé KRAFT
1/4 c. à thé (1 ml) d'assaisonnements aux herbes et aux épices

- Remuer les ingrédients dans une petite casserole à feu doux jusqu'à l'obtention d'une consistance homogène.

Préparation : 10 minutes
Cuisson : 7 minutes

MICRO-ONDES : • Combiner les légumes et l'huile dans une cocotte de 2 litres; couvrir. Cuire à HAUTE INTENSITÉ 9 ou 10 minutes ou jusqu'à ce que les légumes soient mi-tendres, mi-croquants, en remuant après 5 minutes. • Combiner les ingrédients de la sauce parmesan dans une tasse à mesurer de 1 litre. Cuire à HAUTE INTENSITÉ 2 1/2 ou 3 minutes ou jusqu'à ce la préparation soit très chaude, en remuant à chaque minute. Servir avec les légumes.

Cuisson au micro-ondes : 13 minutes

Courgettes abundanza

SALADE DE CHOU CRU BARON ROUGE

Délicieuse en soi ou pour garnir un sandwich de rôti de boeuf ou de boeuf salé, cette salade de chou séduira tous les palais!

1 contenant de 8 oz (240 g) de fromage à la crème doux de MARQUE PHILADELPHIA
1/2 tasse (125 ml) de mayonnaise hypocalorique sans cholestérol légère KRAFT
2 c. à table (25 ml) d'oignon haché
2 c. à thé (10 ml) de vinaigre de cidre
1 c. à thé (5 ml) de sucre
1/2 c. à thé (2 ml) de graines de céleri
1/2 c. à thé (2 ml) de sel
1/4 ou 1/2 c. à thé (1 ou 2 ml) de poivre de Cayenne
3 tasses (750 ml) de chou râpé
3 tasses (750 ml) de chou chinois râpé
1/2 tasse (125 ml) de lanières de poivron vert

- Bien mélanger tous les ingrédients, sauf le chou et les poivrons, dans un grand bol. Ajouter le chou et les poivrons, agiter légèrement. Réfrigérer.

12 portions

Préparation : 15 minutes, excluant la réfrigération

◆◆◆

Le chou chinois est un légume au goût délicat dont les feuilles sont longues, cylindriques et dégagées. Pour le préparer, couper la tige exposée, trancher le chou en deux et retirer la tige interne dure et en forme de quartier avant de râper.

CHAUDRÉE DE MAÏS ET SALSA

Pour une entrée copieuse, ajoutez du poulet ou du jambon cuit haché à cette chaudrée savoureuse. Servez avec du pain de maïs ou des tortillas.

1 1/2 tasse (375 ml) d'oignons hachés
2 c. à table (25 ml) de margarine PARKAY
1 c. à table (15 ml) de farine
1 c. à table (15 ml) d'assaisonnement au Chili
1 c. à thé (5 ml) de cumin moulu
1 paquet de 16 oz (480 g) de maïs sucré BIRDS EYE, décongelé
2 tasses (500 ml) de salsa
1 boîte de 13 3/4 oz (410 g) de bouillon de poulet
1 pot de 4 oz (120 g) de piment haché, égoutté
1 contenant de 8 oz (240 g) de fromage à la crème doux de MARQUE PHILADELPHIA
1 tasse (250 ml) de lait

- Faire revenir les oignons à la margarine dans un grand poêlon. Ajouter la farine et les assaisonnements; remuer.
- Ajouter le maïs, la salsa, le bouillon et le piment. Porter à ébullition; retirer du feu.
- Ajouter graduellement 1/4 tasse (50 ml) de mélange chaud au fromage à la crème dans un petit bol; bien mélanger.
- Incorporer le mélange de fromage à la crème et le lait dans le poêlon, en mélangeant bien.
- Bien chauffer. Ne pas bouillir. Garnir les assiettes de coriandre fraîche, au goût.

6 à 8 portions

Préparation : 35 minutes

MICRO-ONDES : • Cuire les oignons et la margarine dans une cocotte de 3 litres à HAUTE INTENSITÉ durant 2 ou 3 minutes ou jusqu'à ce que les oignons soient tendres. • Ajouter la farine et les assaisonnements en remuant. • Incorporer la salsa et le bouillon; bien mélanger. • Cuire à HAUTE INTENSITÉ de 8 à 10 minutes ou jusqu'au début de l'ébullition, en remuant après 5 minutes. • Ajouter le maïs et le piment en remuant. • Ajouter graduellement 1/4 tasse (50 ml) de mélange chaud au mélange à la crème dans un petit bol, en mélangeant bien. • Incorporer le mélange de fromage à la crème et le lait au mélange de maïs. • Cuire à HAUTE INTENSITÉ de 12 à 17 minutes, ou jusqu'à ce que la préparation soit très chaude, en remuant après 9 minutes. *Ne pas bouillir.* • Garnir les assiettes de coriandre fraîche, au goût.

Cuisson au micro-ondes : 30 minutes

Chaudrée de maïs et salsa

CROUSTILLES DE POMMES DE TERRE DOUCES

Ce plat des réjouissances composé de pommes de terre douces, de canneberges fraîches âpres et de pommes recouvertes d'une garniture croustillante deviendra à coup sûr une tradition des Fêtes.

1 paquet de 8 oz (240 g) de fromage à la crème de MARQUE PHILADELPHIA, ramolli
1 boîte de 40 oz (1,25 l) de pommes de terre douces coupées, égouttées
1/4 tasse (50 ml) de cassonade tassée
1/4 c. à thé (1 ml) de cannelle moulue
1 tasse (250 ml) de pommes hachées
2/3 tasse (150 ml) de canneberges hachées
1/2 tasse (125 ml) de farine
1/2 tasse (125 ml) de gruau vite préparé ou à l'ancienne, non cuit
1/2 tasse (125 ml) de cassonade tassée
1/3 tasse (75 ml) de margarine PARKAY
1/4 tasse (50 ml) de pacanes hachées

- Préchauffer le four à 350°F (180°C).
- Bien mélanger le fromage à la crème, les pommes de terre, 1/4 tasse (50 ml) de sucre et la cannelle dans un grand bol à la vitesse moyenne d'un batteur électrique.
- Verser à la cuiller dans une cocotte de 1 1/2 litre ou dans un plat allant au four de 10 x 6 po (25 x 15 cm). Garnir de pommes et de canneberges.
- Remuer la farine, le gruau et 1/2 tasse (125 ml) de sucre dans un bol de taille moyenne; y couper la margarine jusqu'à ce que mélange forme une chapelure grossière. Ajouter les pacanes en remuant. Parsemer sur les fruits.
- Cuire de 35 à 40 minutes ou jusqu'à ce que la préparation soit très chaude.

8 portions

Préparation : 20 minutes
Cuisson : 40 minutes

Variante : Remplacer les pommes de terre douces en conserve par quatre pommes de terre douces fraîches de taille moyenne, pelées.

ÉLÉGANTE SALADE PRINTANIÈRE

1 paquet de 8 oz (240 g) de fromage à la crème de MARQUE PHILADELPHIA, ramolli
1/4 tasse ou 2 oz (50 ml ou 60 g) de fromage bleu KRAFT, en miettes
1/4 tasse (50 ml) de pacanes hachées
3 tranches de bacon OSCAR MAYER, croustillantes, émiettées
1/3 tasse (75 ml) de persil frais haché
2 litres de légumes verts variés
Lanières de poivron orange ou jaune
Poivron rouge haché
Rondelles d'oignon rouge
Vinaigrette italienne «Zesty» KRAFT

- Bien mélanger les fromages dans un petit bol à la vitesse moyenne d'un batteur électrique. Ajouter les pacanes et le bacon; bien mélanger. Réfrigérer jusqu'à ce que la consistance soit ferme.
- Modeler le mélange pour former une bûche de 8 po (20 cm). Rouler dans le persil. Entourer d'une pellicule de plastique; réfrigérer.
- Trancher la bûche en 24 tranches.
- Disposer les légumes dans des assiettes à salade. Garnir chaque assiette de trois tranches de fromage. Servir avec la vinaigrette.

8 portions

Préparation : 25 minutes, excluant la réfrigération

Élégante salade printanière

POT-POURRI DE LÉGUMES À LA CRÈME ET AU BASILIC

Garnir les légumes congelés de cette sauce crémeuse à base de fromage à la crème «PHILLY», de fromage parmesan et d'assaisonnements.

1 sac de 16 oz (480 g) de brocoli, de chou-fleur et de carottes frais de la ferme BIRDS EYE
¼ tasse (50 ml) d'eau froide
1 contenant de 8 oz (240 g) de fromage à la crème doux de MARQUE PHILADELPHIA
¼ tasse (50 ml) de lait
¼ tasse (50 ml) de fromage parmesan 100 % naturel râpé KRAFT
1 c. à thé (5 ml) de feuilles de basilic séchées, broyées
¼ c. à thé (1 ml) de poudre d'ail

- Placer les légumes et l'eau dans une casserole de taille moyenne. Porter l'eau à ébullition; réduire à feu moyen. Couvrir; mijoter 1 minute. Égoutter.
- Incorporer le reste des ingrédients. Remuer jusqu'à ce que la préparation soit très chaude.

3 tasses (750 ml)

Préparation : 15 minutes

MICRO-ONDES : • Omettre l'eau froide. Placer les légumes dans une cocotte de 2 litres; couvrir. Cuire à HAUTE INTENSITÉ de 8 à 12 minutes ou jusqu'à ce que les légumes soient mi-tendres, mi-croquants. • Ajouter le reste des ingrédients. Cuire, sans couvrir, à HAUTE INTENSITÉ 2 ou 3 minutes ou jusqu'à ce que le mélange soit très chaud, en remuant après 2 minutes.

Cuisson au micro-ondes : 15 minutes

SALADE RAFRAÎCHISSANTE AU MELON

Cette salade colorée recouverte d'une garniture citronnée est irrésistible avec des muffins ou du pain de noix pour un brunch léger.

1 paquet de 8 oz (240 g) de fromage neufchâtel léger de MARQUE PHILADELPHIA, ramolli
½ tasse (125 ml) de concentré de limonade ou de jus de limette, décongelé
4 tasses (1 l) de boulettes de melon variés

- Bien mélanger le fromage neufchâtel et le concentré de limonade au robot culinaire ou au mélangeur.
- Mettre les boulettes de melon dans des verres à parfaits ou dans des assiettes à l'aide d'une cuiller; garnir du mélange au fromage à la crème.

8 portions

Préparation : 20 minutes

ASPERGES À LA DIJONNAISE

La moutarde de Dijon ajoute du piquant à ce plat d'accompagnement aux asperges.

1 contenant de 8 oz (240 g) de produit de fromage à la crème fondu pasteurisé léger de MARQUE PHILADELPHIA
2 c. à table (25 ml) de jus de citron
2 c. à table (25 ml) de lait écrémé
1 c. à table (15 ml) de moutarde de Dijon
1½ livre (750 g) de pointes d'asperges, cuites, réfrigérées

- Bien mélanger tous les ingrédients, sauf les asperges, au robot culinaire ou au mélangeur.
- Disposer les asperges dans des assiettes à salade; verser le mélange au fromage à la crème sur les asperges.

6 portions

Préparation : 15 minutes, excluant la réfrigération

Salade rafraîchissante au melon

RISOTTO PRIMAVERA

1½ tasse (375 ml) de riz à grain moyen ou Arborio
3 c. à table (50 ml) d'huile d'olive
3 gousses d'ail hachées
1 boîte de 46 oz (1,5 l) de bouillon de poulet
½ c. à thé (2 ml) de feuilles d'origan séché, broyées
2 paquets de 3 oz (90 g) de fromage à la crème de MARQUE PHILADELPHIA, en cubes
1 paquet de 16 oz (480 g) de chou-fleur, de petites carottes entières et de cosses de pois des neiges frais de la ferme BIRDS EYE, décongelés
⅔ tasse ou 2½ oz (150 ml ou 75 g) de fromage parmesan 100 % naturel râpé KRAFT

- Faire revenir le riz dans un grand poêlon à feu doux jusqu'à ce qu'il brunisse légèrement. Ajouter l'ail; cuire 1 minute.
- Ajouter 1 tasse (250 ml) de bouillon et l'origan en remuant. Cuire, sans couvrir, à feu moyen-doux jusqu'à ce que le bouillon soit presque absorbé. Ajouter graduellement le reste du bouillon en remuant.
- Cuire de 40 à 50 minutes ou jusqu'à ce que le bouillon soit presque absorbé et que le riz soit tendre.
- Incorporer le fromage à la crème en remuant jusqu'à ce qu'il soit fondu. Ajouter le reste des ingrédients; bien chauffer, en remuant à l'occasion. Servir avec du fromage parmesan supplémentaire, au goût.

8 à 10 portions

Préparation : 1 heure 15 minutes

SALADE DE FRUITS EXOTIQUES

On retrouve de plus en plus de fruits exotiques dans les magasins d'alimentation. Tirez avantage de leur disponibilité et servez cette salade souvent.

1 litre de fraises en tranches
1 papaye, pelée, en tranches
4 kiwis, pelés, en tranches
4 caramboles en tranches
1 tasse (250 ml) de framboises
Vinaigrette à la limette

- Disposer les fruits sur une assiette. Servir avec la vinaigrette.

8 portions

VINAIGRETTE À LA LIMETTE

2 tasses (500 ml) de garniture fouettée COOL WHIP décongelée
1 contenant de 8 oz (240 g) de fromage à la crème doux aux fraises de MARQUE PHILADELPHIA
¼ tasse (50 ml) de jus de limette
1 c. à thé (5 ml) de zeste de limette râpé

- Bien mélanger les ingrédients au robot culinaire ou au mélangeur.

Préparation : 20 minutes

Salade de fruits exotiques

AUBERGINES GRILLÉES

Cette sauce à l'aneth crémeuse complète agréablement le goût typiquement doux de l'aubergine.

2 aubergines de taille moyenne, coupées en tranches de 1 po (2,5 cm)
Sel
Huile d'olive
Sauce à l'aneth

- Préparer les charbons pour le gril.
- Saupoudrer l'aubergine de sel; égoutter dans une passoire durant 30 minutes. Rincer à l'eau froide; assécher.
- Placer un papier d'aluminium badigeonné d'huile sur le gril au-dessus des charbons rougeoyants. Piquer le papier à la fourchette.
- Badigeonner d'huile les tranches d'aubergine; placer dans le papier d'aluminium. Couvrir et griller 4 ou 5 minutes de chaque côté ou jusqu'à ce que les aubergines soient tendres. Servir avec la sauce à l'aneth.

6 portions

SAUCE À L'ANETH

1 oignon vert, tranché
1 gousse d'ail
1 contenant de 8 oz (240 g) de produit de fromage à la crème fondu pasteurisé léger de MARQUE PHILADELPHIA
3 c. à table (50 ml) de jus de citron
1 c. à table (15 ml) d'huile d'olive
1 c. à table (15 ml) d'aneth frais ou ½ c. à thé (2 ml) d'aneth séché
¼ c. à thé (1 ml) de sel

- Hacher finement les oignons et l'ail au robot culinaire ou au mélangeur.
- Ajouter le reste des ingrédients; bien mélanger.

Préparation : 15 minutes
Cuisson : 10 minutes

TOMATES À LA CRÈME DE BASILIC

Quoi de mieux que des tomates bien mûres à la saison estivale - à moins, bien sûr, que les tomates soient garnies de cette garniture au fromage à la crème «PHILLY»!

1 gousse d'ail
1 contenant de 8 oz (240 g) de produit de fromage à la crème fondu pasteurisé léger de MARQUE PHILADELPHIA
2 c. à table (25 ml) de vinaigre de vin blanc
2 c. à table (25 ml) de basilic frais haché ou 1 c. à thé (5 ml) de feuilles de basilic séchées, broyées
1 c. à table (15 ml) de persil frais haché
½ c. à thé (2 ml) de sel
¼ c. à thé (1 ml) de poivre
2 tomates rouges, finement tranchées
2 tomates jaunes, finement tranchées
1 c. à table (15 ml) de persil frais haché

- Hacher l'ail finement au robot culinaire ou au mélangeur.
- Ajouter le produit de fromage à la crème, le vinaigre, le basilic, 1 c. à table (15 ml) de persil, le sel et le poivre; bien mélanger.
- Disposer les tomates dans un plat de service. Verser le mélange de fromage à la crème sur les tomates avec une cuiller. Saupoudrer de 1 c. à table (15 ml) de persil. Garnir de feuilles de basilic frais, au goût.

10 portions

Préparation : 15 minutes

Variante : Remplacer les tomates jaunes par deux tomates rouges supplémentaires.

Les tomates jaunes sont plus sucrées que les rouges. La saison des tomates jaunes s'étend de la moitié à la fin de l'été, quoique certains producteurs spécialisés les cultivent toute l'année. Les tomates constituent une excellente source de vitamines A et C.

Tomates à la crème de basilic

PIMENTS OAXACAN

6 piments Anaheim ou petits poivrons verts
1 1/3 tasse (325 ml) de riz instantané MINUTE RICE, non cuit
1 contenant de 8 oz (240 g) de fromage à la crème doux aux herbes et à l'ail de MARQUE PHILADELPHIA
1 c. à thé (5 ml) d'assaisonnement au Chili
1/2 c. à thé (2 ml) de sel
1/2 tasse ou 2 oz (125 ml ou 60 g) de fromage Monterey Jack en grains KRAFT
1 tomate moyenne hachée
1 c. à table (15 ml) de coriandre fraîche hachée
1 c. à table (15 ml) de jus de limette

- Griller légèrement les piments dans un plat à rôtir, en retournant fréquemment jusqu'à ce que les piments soient légèrement grillés. Refroidir quelque peu. Couper en deux; épépiner.
- Préchauffer le four à 350°F (180°C).
- Préparer le riz selon les indications de l'emballage.
- Bien mélanger le riz, le fromage à la crème, l'assaisonnement au Chili et le sel dans un bol de taille moyenne. Remplir les piments du mélange au riz; placer dans un plat de 12 x 8 po (30 x 20 cm) allant au four.
- Cuire 20 minutes. Parsemer de fromage Monterey Jack; cuire encore 5 minutes.
- Mélanger les tomates, la coriandre et le jus de limette dans un petit bol. Servir avec les piments.

6 portions

Préparation : 30 minutes
Cuisson : 25 minutes

MICRO-ONDES : • Suivre les indications ci-dessus sauf pour la cuisson. • Cuire à HAUTE INTENSITÉ de 8 à 12 minutes ou jusqu'à ce que la préparation soit très chaude, en tournant le plat après 5 minutes. • Parsemer de fromage monterey jack; cuire à HAUTE INTENSITÉ 1 minute. • Mélanger les tomates, la coriandre et le jus de limette dans un petit bol. Servir avec les piments.

Cuisson au micro-ondes : 13 minutes

D'un vert éclatant, les piments Anaheim ont une longueur de 6 ou 7 pouces (15 à 18 cm). Leur saveur est douce ou légèrement piquante.

SALADE DE FRUITS DES CARAÏBES

1 contenant de 8 oz (240 g) de fromage à la crème doux aux ananas de MARQUE PHILADELPHIA
1/2 tasse (125 ml) de jus d'ananas
1/2 litre de fraises tranchées
4 kiwis, pelés, tranchés
2 oranges, pelées, sectionnées
1 mangue, pelée, en cubes
1 carambole tranchée
Tranches de cantaloup pelée
Tranches de melon de miel pelé
1/2 tasse (125 ml) de noix de coco BAKER'S ANGEL FLAKE, grillée

- Remuer le fromage à la crème et le jus d'ananas dans un petit bol; réfrigérer.
- Disposer les fruits dans des assiettes à salade. Garnir du mélange de fromage à la crème. Saupoudrer de noix de coco.

8 portions

Préparation : 20 minutes, excluant la réfrigération

La mangue est un fruit tropical sucré à la fragrance florale délicate. Elle devrait mûrir à la température de la pièce; elle est douce au toucher lorsque prête à consommer. Pour la peler, l'inciser dans le sens de la longueur et retirer une partie de la peau. La mangue contient un grand noyau aplati; décoller la tranche de fruit du noyau.

Salade de fruits des Caraïbes

ÉPINARDS CRÉMEUX EN COCOTTE

Le fromage à la crème «PHILLY» rend ce plat particulièrement crémeux.

2 paquets de 10 oz (300 g) d'épinards haché BIRDS EYE, décongelés, bien égouttés
2 contenants de 8 oz (240 g) de fromage à la crème doux PHILADELPHIA
1 c. à thé (5 ml) d'assaisonnement au poivre citronné
1/3 tasse (75 ml) de croûtons assaisonnés émiettés

- Préchauffer le four à 350°F (180°C).
- Remuer les ingrédients, sauf les croûtons, dans un bol de taille moyenne. Verser à la cuiller dans une cocotte de 1 litre. Parsemer de croûtons.
- Cuire de 25 à 30 minutes ou jusqu'à ce que mélange soit très chaud.

6 à 8 portions

Préparation : 10 minutes
Cuisson : 30 minutes

MICRO-ONDES : • Suivre les indications ci-dessus sauf pour la cuisson. • Cuire à HAUTE INTENSITÉ de 8 à 10 minutes ou jusqu'à ce que le mélange soit très chaud, en tournant le plat après 4 minutes.

Cuisson au micro-ondes : 10 minutes

SALADE DE POMMES AU CARAMEL

1 boîte de 20 oz (600 g) d'ananas écrasés dans leur jus non-sucré
1 contenant de 8 oz (240 g) de fromage à la crème à l'ananas PHILADELPHIA
1 contenant de 8 oz (240 g) de garniture fouettée COOL WHIP, décongelée
3 tasses (750 ml) de pommes grossièrement hachées
2 tasses (500 ml) de guimauves miniatures KRAFT
1 1/2 tasse (375 ml) d'arachides grillées à sec

- Égoutter les ananas, en réservant le jus.
- Bien mélanger le fromage à la crème et le jus réservé dans un grand bol à la vitesse réduite d'un batteur électrique. Ajouter les ananas et le reste des ingrédients en remuant. Réfrigérer.

10 portions

Préparation : 20 minutes, excluant la réfrigération

LÉGUMES AU SÉSAME DE L'EXTRÊME-ORIENT

Le fromage à la crème «PHILLY» apprêté de façon orientale - ce plat d'accompagnement aux légumes colorés peut également être servi comme salade du midi.

1 tasse (250 ml) d'eau froide
6 tasses (1,5 l) de bouquets de brocoli
1 tasse (250 ml) de carottes tranchées en diagonale
1/2 tasse (125 ml) de lanières de poivron rouge
1/2 tasse (125 ml) de courge jaune en julienne
2 c. à table (25 ml) de graines de sésame, grillées
Vinaigrette au gingembre

- Porter l'eau à ébullition dans une grande casserole. Ajouter le brocoli et les carottes. Faire bouillir 1 minute; rincer à l'eau froide. Égoutter.
- Combiner tous les légumes dans un bol de service de taille moyenne.
- Parsemer de graines de sésame. Servir avec la vinaigrette au gingembre.

8 portions

VINAIGRETTE AU GINGEMBRE

1 contenant de 8 oz (240 g) de produit de fromage à la crème fondu pasteurisé léger de MARQUE PHILADELPHIA
2 c. à table (25 ml) de sauce soya légère
1 c. à table (15 ml) d'eau froide
1 c. à table (15 ml) d'huile d'olive
1 c. à thé (5 ml) de racine de gingembre fraîche, pelée, hachée

- Bien mélanger les ingrédients au robot culinaire ou au mélangeur.

Préparation : 25 minutes

Légumes au sésame de l'Extrême-Orient

OIGNON GRATINÉ

2 grands oignons finement hachés
1/4 tasse (50 ml) de margarine PARKAY
1 paquet de 8 oz (240 g) de fromage neufchâtel léger de MARQUE PHILADELPHIA
1 tasse ou 4 oz (250 ml ou 120 g) de fromage suisse réduit en matières grasses, naturel, léger, en grains KRAFT
1/4 tasse (50 ml) de crème aigre moitié-moitié BREAKSTONE'S LIGHT CHOICE
2 oeufs battus
2 c. à table (25 ml) de brandy
1 c. à thé (5 ml) de sel assaisonné
1/2 tasse (125 ml) de croûtons assaisonnés, écrasés

- Préchauffer le four à 350°F (180°C).
- Faire revenir les oignons à la margarine dans un grand poêlon jusqu'à ce qu'ils soient tendres.
- Mélanger les fromages, la crème aigre moitié-moitié, les oeufs, le brandy et le sel dans un grand bol; ajouter les oignons en remuant.
- Verser dans un plat allant au four carré légèrement graissé de 9 po (22 cm).
- Cuire de 45 à 50 minutes ou jusqu'à ce que le mélange prenne. Parsemer de croûtons.

8 portions

Préparation : 20 minutes
Cuisson : 50 minutes

SALADE D'ORANGES AVEC VINAIGRETTE À LA CANNELLE

8 oranges, pelées, tranchées
1 litre de légumes verts variés
Vinaigrette à la cannelle

- Disposer les oranges et les légumes verts dans des assiettes. Servir avec la vinaigrette à la cannelle. Garnir de zeste d'orange, au goût.

8 portions

VINAIGRETTE À LA CANNELLE

1 paquet de 8 oz (240 g) de fromage neufchâtel léger de MARQUE PHILADELPHIA, ramolli
1/3 tasse (75 ml) de jus d'orange
1 c. à table (15 ml) de miel
1 1/2 c. à thé (7 ml) de zeste d'orange râpé
1/2 c. à thé (2 ml) de cannelle moulue

- Bien mélanger les ingrédients au robot culinaire ou au mélangeur.

Préparation : 20 minutes

SALADE DE CONCOMBRES RAFRAÎCHISSANTE

4 concombres finement tranchés
1/2 oignon de petite taille finement tranché
1 contenant de 8 oz (240 g) de produit de fromage à la crème fondu pasteurisé léger de MARQUE PHILADELPHIA
1/4 tasse (50 ml) de vinaigre d'estragon
1 c. à thé (5 ml) d'aneth frais haché ou 1/4 c. à thé (1 ml) d'aneth séché
1/4 c. à thé (1 ml) de sel
1/4 c. à thé (1 ml) de poivre

- Mélanger concombres et oignons dans un grand bol.
- Bien mélanger le reste des ingrédients au robot culinaire ou au mélangeur. Ajouter aux légumes; remuer légèrement. Réfrigérer.

8 portions

Préparation : 20 minutes, excluant la réfrigération

Salade d'oranges avec vinaigrette à la cannelle

SALADE AUX LÉGUMES DU LENDEMAIN

Une salade délicieuse, idéale pour un repas à participation, un buffet ou un barbecue.

1 tasse (250 ml) d'eau froide
2½ tasses (625 ml) de bouquets de chou-fleurs
2 tasses (500 ml) de bouquets de brocoli
1½ litre de laitue iceberg
1 livre (500 g) de tranches de bacon OSCAR MAYER croustillantes, émiettées
2 tasses (500 ml) de carottes râpées
1 contenant de 8 oz (240 g) de fromage à la crème doux à la ciboulette et à l'oignon de MARQUE PHILADELPHIA
1 contenant de 8 oz (240 g) de crème aigre BREAKSTONE'S
¼ tasse (50 ml) de lait
½ tasse (125 ml) d'oignon vert haché

- Porter l'eau à ébullition dans une grande casserole. Ajouter les bouquets de chou-fleur et de brocoli; bouillir 1 minute. Rincer à l'eau froide. Égoutter.
- Étendre la laitue, le mélange au chou-fleur, le bacon et les carottes dans un bol de 4 litres.
- Bien mélanger le fromage à la crème, la crème aigre et le lait. Répandre uniformément sur la salade. Garnir d'oignons.
- Couvrir; réfrigérer toute la nuit. Agiter avant de servir.

8 à 10 portions

Préparation : 30 minutes, excluant la réfrigération

GRATIN À LA CITROUILLE

1 contenant de 8 oz (240 g) de fromage à la crème doux de MARQUE PHILADELPHIA
2 c. à table (25 ml) de cassonade tassée
1 boîte de 16 oz (480 g) de citrouille
½ c. à thé (2 ml) de sel
¼ c. à thé (1 ml) de muscade moulue
⅛ c. à thé (0,5 ml) de poivre
½ tasse (125 ml) de crème moitié-moitié
4 oeufs
1 tasse ou 4 oz (250 ml ou 120 g) de fromage suisse en grains Gourmet KRAFT

- Préchauffer le four à 375°F (190°C).
- Bien mélanger le fromage à la crème et le sucre dans un grand bol. Ajouter la citrouille, le sel, la muscade et le poivre; bien mélanger. Incorporer la crème moitié-moitié et mélanger.
- Incorporer les oeufs, un à la fois, en mélangeant bien après chaque addition. Ajouter ¾ tasse (175 ml) de fromage suisse en mélangeant.
- Verser le mélange à la cuiller dans un plat à gratin de ½ litre ou dans un plat carré de 8 po (20 cm) allant au four. Placer ce plat dans un autre plat plus grand. Mettre sur la grille du four; verser avec soin de l'eau bouillante dans le plat inférieur à une profondeur de 1 po (2,5 cm).
- Cuire de 45 à 50 minutes ou jusqu'à ce que la préparation n'adhère pas à un couteau inséré en son centre. Parsemer immédiatement de ¼ tasse (50 ml) de fromage suisse.

8 à 10 portions

Préparation : 15 minutes
Cuisson : 50 minutes

SALADE DE CHOU ET DE FRUITS

Une touche originale apportée à une salade de chou ordinaire - idéale pour les barbecues et les réunions familiales.

1 boîte de 20 oz (600 g) de morceaux d'ananas dans leur jus non-sucré
1 contenant de 8 oz (240 g) de fromage à la crème doux à l'ananas de MARQUE PHILADELPHIA
1/2 c. à thé (2 ml) de cannelle moulue
8 tasses (2 l) de chou râpé
1 pomme rouge, hachée
1 pomme verte, hachée
1 tasse (250 ml) de raisins verts, sans pépins, en moitiés

- Égoutter l'ananas, en réservant 2 c. à thé (10 ml) de jus.
- Bien mélanger le fromage à la crème, le jus réservé et la cannelle dans un grand bol. Ajouter le reste des ingrédients; agiter légèrement. Réfrigérer. *8 portions*

Préparation : 20 minutes, excluant la réfrigération.

SALADE DE POMMES MONTEREY

Conservez une provision de cette salade pour un repas léger ou un casse-croûte. Un pur délice avec du pain aux dattes ou des muffins au son!

1 contenant de 8 oz (240 g) de produit de fromage à la crème fondu pasteurisé léger de MARQUE PHILADELPHIA
1/4 tasse (50 ml) de crème moitié-moitié BREAKSTONE'S LIGHT CHOICE
1/4 tasse (50 ml) de cannelle moulue
5 tasses (1,25 l) de pommes grossièrement hachées
1/2 tasse (125 ml) de pacanes grossièrement hachées, grillées
1/2 tasse (125 ml) de raisins

- Bien mélanger le produit de fromage à la crème, la crème moitié-moitié et la cannelle dans un grand bol. Ajouter le reste des ingrédients en remuant. *8 portions*

Préparation : 20 minutes

SALADE CITRONNÉE CROQUANTE DE COZUMEL

1 dolique bulbeux pelé, en fines lanières (environ 2 tasses - 500 ml)
2 grosses oranges, pelées, sectionnées
1 gros pamplemousse, pelé, sectionné
Feuilles de laitue
Vinaigrette citronnée
1/4 tasse (50 ml) d'arachides grillées à sec, hachées

- Disposer le dolique bulbeux et les fruits sur une feuille de laitue dans un plat de service ou dans des assiettes à salade. Servir avec la vinaigrette citronnée. Parsemer d'arachides.

8 portions

VINAIGRETTE CITRONNÉE

1 contenant de 8 oz (240 g) de produit de fromage à la crème fondu pasteurisé léger de MARQUE PHILADELPHIA
1/3 tasse (75 ml) de jus de citron
1 ou 2 c. à table (15 ou 25 ml) de miel
1 c. à thé (5 ml) de coriandre moulue
1 c. à thé (5 ml) de zeste d'orange râpé
1/4 c. à thé (1 ml) de sel

- Bien mélanger les ingrédients au robot culinaire ou au mélangeur.

Préparation : 30 minutes

◆◆◆

Le dolique bulbeux (Pachyrhizus erosus) est un légume de racine à pelure brune (comme une pomme de terre). Sa peau blanche croustillante ressemble à celle d'une chataîgne d'eau et sa saveur douce complète plusieurs plats.

TOURTE AU JAMBON ET AU MAÏS

Créez ce plat principal crémeux en quelques minutes avec des restes de jambon, du maïs congelé et une abaisse de tarte réfrigérée. Un délice facile à préparer!

½ tasse (125 ml) d'oignon haché
½ tasse (125 ml) de poivron rouge haché
2 c. à table (25 ml) de margarine PARKAY
¼ tasse (50 ml) de farine
2 c. à thé (10 ml) de moutarde sèche
⅛ c. à thé (0,5 ml) de poivre noir
½ tasse (125 ml) de lait
2 tasses (500 ml) de cubes de jambon
1 paquet de 10 oz (300 g) de maïs sucré BIRDS EYE, décongelé
1 paquet de 8 oz (240 g) de fromage à la crème de MARQUE PHILADELPHIA, en cubes
½ paquet de 15 oz (450 g) de croûtes à tartes réfrigérées (1 croûte)

- Préchauffer le four à 350°F (180°C).
- Faire revenir les oignons et les poivrons rouges à la margarine dans une grande casserole jusqu'à ce qu'ils soient tendres. Y mélanger la farine, la moutarde et le poivre noir; cuire 1 minute.
- Incorporer graduellement le lait; cuire, en remuant constamment, jusqu'à ce que le mélange épaississe.
- Ajouter le jambon, le maïs et le fromage à la crème en remuant; bien mélanger. Verser à la cuiller dans un moule à tarte de 9 po (22 cm).
- Placer la croûte à tarte sur le mélange au jambon; refermer la croûte sous le rebord du moule.
- Cuire de 30 à 35 minutes ou jusqu'à ce que la pâte soit dorée.

6 à 8 portions

Préparation : 25 minutes
Cuisson : 35 minutes

TORTELLINI PRIMAVERA

Un plat formidable préparé en quelques minutes - parfait pour une réception à l'improviste.

1 tasse (250 ml) de tranches de champignons
½ tasse (125 ml) d'oignon haché
1 gousse d'ail hachée
2 c. à table (25 ml) de margarine PARKAY
1 paquet de 10 oz (300 g) d'épinards hachés BIRDS EYE, décongelés, bien égouttés
1 contenant de 8 oz (240 g) de fromage à la crème doux de MARQUE PHILADELPHIA
1 tomate moyenne, hachée
¼ tasse (50 ml) de lait
¼ tasse ou 1 oz (50 ml ou 30 g) de fromage parmesan 100 % naturel râpé KRAFT
1 c. à thé (5 ml) d'assaisonnement italien
¼ c. à thé (1 ml) de sel
¼ c. à thé (1 ml) de poivre
8 ou 9 oz (240 à 270 g) de tortellini farcis au fromage, frais ou congelés, cuits, égouttés

- Faire revenir les champignons, les oignons et l'ail à la margarine dans un grand poêlon. Ajouter le reste des ingrédients, sauf les tortellini; bien mélanger. Cuire jusqu'au début de l'ébullition, en remuant occasionnellement.
- Ajouter les tortellini en remuant; bien cuire.

4 portions

Préparation : 20 minutes

Tortellini primavera

FAJITAS DU SUD-OUEST

Les fajitas connaissent une popularité croissante. Une fois que vous en aurez goûté, vous comprendrez pourquoi.

1 à 1½ livre (500 à 750 g) de bifteck de flanc
¼ tasse (50 ml) d'huile d'olive
2 c. à table (25 ml) de jus de limette
1 gousse d'ail hachée
1 c. à thé (5 ml) de poivron rouge écrasé
1 gros oignon finement tranché
1 c. à table de margarine PARKAY
1 paquet de 8 oz (240 g) de fromage neufchâtel léger de MARQUE PHILADELPHIA, en cubes
3 c. à table (50 ml) de coriandre fraîche hachée
1 c. à table (15 ml) de jus de limette
8 tortillas à la farine de 6 po (15 cm)
½ tasse (125 ml) de salsa

- Inciser le bifteck des deux côtés. Faire mariner au moins 2 heures au réfrigérateur dans un mélange composé d'huile, de 2 c. à table (25 ml) de jus de limette, d'ail et de poivron vert, en retournant une fois. Égoutter.
- Préparer les charbons pour le gril.
- Séparer les oignons en rondelles. Disposer les oignons et la margarine au centre d'un papier d'aluminium de 25 x 12 po (62,5 x 30 cm). Refermer le papier pour former un sachet.
- Placer le bifteck et le paquet d'oignons sur une grille graissée au-dessus des charbons légèrement rougeoyants. Faire griller, en couvrant, de 16 à 20 minutes ou jusqu'au degré de cuisson désiré, en retournant la viande après 8 minutes.
- Remuer le fromage neufchâtel, la coriandre et 1 c. à table (15 ml) de jus de limette dans une petite casserole à feu doux jusqu'à l'obtention d'une consistance homogène.
- Envelopper les tortillas dans du papier d'aluminium. Placer sur la grille; réchauffer 5 minutes.
- Couper la viande dans le sens du grain pour obtenir des lanières minces au moyen d'un couteau incliné.
- Tartiner chaque tortilla avec environ 2 c. à table (25 ml) de mélange de fromage neufchâtel. Mettre la viande et la salsa au centre de chaque tortilla; rouler.

8 portions

Préparation : 15 minutes, excluant la marinade
Cuisson : 25 minutes

SALADE DE BUFFET AVEC VINAIGRETTE AU FROMAGE BLEU

Bien disposée dans une grande assiette de verre ou de céramique, cette superbe salade-repas peut constituer le point d'attraction d'un copieux buffet.

1 paquet de 8 oz (240 g) de fromage neufchâtel léger de MARQUE PHILADELPHIA, ramolli
1 paquet de 6 oz (180 g) de fromage bleu KRAFT, en grains
1 bouteille de 8 oz (250 ml) de vinaigrette italienne «Zesty» KRAFT
3 endives belges
2 c. à table (25 ml) de jus de citron
2 litres de légumes verts variés
3 tomates coupées en quartiers
2 poivrons verts, jaunes ou orange, en lanières
2 concombres finement tranchés
1 petit oignon rouge, en rondelles
¼ livre (125 g) de cosses de pois blanchis
¾ livre (375 g) de rôti de boeuf saignant, en tranches fines taillées en julienne

- Passer les fromages au robot culinaire ou au mélangeur jusqu'à l'obtention d'une consistance homogène. Ajouter la vinaigrette; bien mélanger.
- Séparer les feuilles d'endives; agiter avec le jus de citron. Placer les endives et les légumes verts dans une grande assiette; garnir des autres légumes et de la viande. Servir avec la vinaigrette au fromage bleu.

10 à 12 portions

Préparation : 25 minutes

Salade de buffet avec vinaigrette au fromage bleu

ENCHILADAS SUIZAS

Ce plat principal épicé sans viande au goût du Sud-Ouest fera l'unanimité parmi les membres de votre famille.

1 paquet de 8 oz (240 g) de fromage à la crème de MARQUE PHILADELPHIA, ramolli
1/2 tasse (125 ml) de tranches d'oignon vert
1 1/2 tasse ou 6 oz (375 ml ou 180 g) de fromage cheddar fort en grains KRAFT
1 1/2 tasse ou 6 oz (375 ml ou 180 g) de fromage Monterey Jack en grains KRAFT
2 boîtes de 4 oz (120 g) de poivrons verts hachés, égouttés
1/2 c. à thé (2 ml) de cumin moulu
3 oeufs
12 tortillas de maïs de 6 po (15 cm)
Huile
2 pots de 8 oz (240 g) de sauce enchilada
1 boîte de 4 1/4 oz (130 g) d'olives mûres dénoyautées, hachées, égouttées

- Préchauffer le four à 350°F (180°C).
- Bien mélanger 4 oz (120 g) de fromage à la crème et les oignons dans un petit bol à la vitesse moyenne d'un batteur électrique. Réserver pour la garniture.
- Bien mélanger le reste du fromage à la crème, 1 1/4 tasse (300 ml) de fromage cheddar, 1 1/4 tasse (300 ml) de fromage Monterey Jack, les poivrons et le cumin dans un grand bol à la vitesse moyenne d'un batteur électrique.
- Incorporer les oeufs, un à la fois, en mélangeant bien après chaque addition.
- Chauffer les tortillas dans un poêlon légèrement huilé. Verser 2 c. à table (25 ml) du mélange au fromage cheddar sur chaque tortilla; rouler.
- Placer dans un plat allant au four de 13 x 9 po (33 x 22 cm); garnir de sauce enchilada et du reste des fromages en grain.
- Cuire 20 minutes ou jusqu'à ce que la préparation soit très chaude. Garnir du mélange au fromage à la crème réservé et d'olives.

6 portions

Préparation : 25 minutes
Cuisson : 20 minutes

SALADE DE BACON, LAITUE ET TOMATES

Une variante du sandwich du même nom - à la vôtre!

1 pomme de laitue en feuilles, déchiquetée
4 grosses tomates en quartiers
1 oignon finement tranché
10 tranches de bacon OSCAR MAYER croustillant, émietté
Vinaigrette au persil

- Disposer les ingrédients composant la salade sur une grande assiette de service. Servir avec la vinaigrette de persil.

8 portions

VINAIGRETTE AU PERSIL
1/2 tasse (125 ml) de persil frais, sans tige
1 gousse d'ail
1 paquet de 8 oz (240 g) de fromage à la crème de MARQUE PHILADELPHIA, en cubes
1/3 tasse (75 ml) de lait
1/4 tasse (50 ml) de vraie mayonnaise KRAFT
2 c. à table (25 ml) de vinaigre de cidre
1/4 c. à thé (1 ml) de sel
1/8 c. à thé (0,5 ml) de poivre

- Hacher finement le persil et l'ail au robot culinaire ou au mélangeur. Ajouter le reste des ingrédients et bien mélanger.

Préparation : 20 minutes

Enchiladas suizas

VOL-AU-VENT CRÉMEUX À LA DINDE

¾ tasse (175 ml) de tranches de champignons
2 c. à table (25 ml) de margarine PARKAY
3 c. à table (50 ml) de farine
1 tasse (250 ml) de lait
3 c. à table (50 ml) de vin blanc sec
1 contenant de 8 oz (240 g) de fromage à la crème doux à la ciboulette et à l'oignon de MARQUE PHILADELPHIA
1½ tasse (375 ml) de poitrines de poulet désossées rôties au four LOUIS RICH, en cubes
2 c. à table (25 ml) de persil frais haché
1 paquet de 10 oz (300 g) de vol-au-vent, cuits
⅓ tasse (75 ml) d'amandes tranchées, grillées

- Faire revenir les champignons à la margarine dans une casserole de taille moyenne jusqu'à ce qu'ils soient tendres. Incorporer la farine en mélangeant; cuire 1 minute.
- Incorporer graduellement le lait et le vin; cuire, en remuant constamment, jusqu'à ce que la préparation épaississe.
- Incorporer le fromage à la crème; bien cuire. Ajouter la dinde et le persil; bien cuire.
- Verser ½ tasse (125 ml) de mélange à la dinde dans chaque vol-au-vent. Parsemer d'amandes. Garnir de morceaux de pâte taillés (se référer à la note).

8 portions

Préparation : 20 minutes

Variante : Ajouter ½ tasse (125 ml) de carottes tranchées à la diagonale aux champignons.

Note : Pour garnir les vol-au-vent de morceaux de pâte taillés, décongeler une feuille de pâte feuilletée prête-à-cuire selon les indications de l'emballage et tailler en formes décoratives. Cuire à 375°F (190°C), de 10 à 12 minutes ou jusqu'à ce que la pâte soit dorée.

MICRO-ONDES : • Cuire les champignons et la margarine dans une cocotte de 2 litres à HAUTE INTENSITÉ durant 2 minutes. Incorporer la farine en mélangeant; cuire à HAUTE INTENSITÉ durant 1 minute. • Incorporer graduellement le lait et le vin; cuire à HAUTE INTENSITÉ de 4 à 8 minutes ou jusqu'à ce que le mélange épaississe, en remuant aux 2 minutes. • Ajouter le fromage à la crème, la dinde et le persil en remuant. Cuire à HAUTE INTENSITÉ de 3 à 5 minutes ou jusqu'à ce que la préparation soit très chaude.
• Verser ½ tasse (125 ml) de préparation à la dinde dans chaque vol-au-vent. Parsemer d'amandes. Garnir de morceaux de pâte taillés, au goût (se référer à la note).

Préparation au micro-ondes : 16 minutes

◆◆◆

Pour rôtir les amandes au four, les répandre en une seule couche sur une plaque à biscuits. Cuire 5 minutes à 375°F (190°C), en remuant une fois ou deux. Surveiller la cuisson pour éviter de calciner.

Pour rôtir les amandes au micro-ondes, cuire les amandes et 1 c. à table (15 ml) de margarine PARKAY dans un moule à tarte de 9 po (22 cm) à HAUTE INTENSITÉ durant 3½ ou 4½ minutes ou jusqu'à ce que les amandes soient légèrement dorées, en remuant aux 2 minutes. Laisser reposer 5 minutes. (La cuisson se poursuivra durant le temps de pause.)

HÉRO MÉDITERRANÉEN

Essayez ce plat favori des Américains agrémenté d'une touche italienne bien spéciale.

6 petits pains français ou italiens, divisés
1 contenant de 8 oz (240 g) de fromage à la crème doux aux herbes et à l'ail de MARQUE PHILADELPHIA
1½ tasse (375 ml) de laitue en feuilles rouges ou romaine déchiquetée
1½ livre (750 g) de rôti de boeuf saignant, finement tranché
¾ tasse (175 ml) de poivrons rouges grillés, égouttés

- Tartiner les petits pains de fromage à la crème. Remplir du reste des ingrédients.

6 portions

Préparation : 15 minutes

Vol-au-vent crémeux à la dinde

POTAGE MESA VERDE

Servez ce potage avec du pain de maïs lors d'un souper sans prétention.

2 livres (1 kg) de courgettes coupées en tranches de 1 po (2,5 cm)
2 boîtes de 10¾ oz (325 g) de bouillon de poulet
1 gousse d'ail hachée
1 c. à thé (5 ml) de cari
1 contenant de 8 oz (240 g) de fromage à la crème doux à la ciboulette et à l'oignon de MARQUE PHILADELPHIA

- Porter les courgettes, le bouillon, l'ail et le cari à ébullition dans une casserole de 2 litres. Réduire l'intensité du feu; mijoter 10 minutes ou jusqu'à ce que les courgettes soient tendres. Retirer les courgettes de la casserole, en réservant le bouillon dans la casserole.
- Bien mélanger les courgettes et le fromage à la crème au robot culinaire ou au mélangeur.
- Incorporer le mélange de fromage à la crème au bouillon dans la casserole. Bien chauffer, en remuant occasionnellement. Servir assez chaud ou à la température de la pièce. Garnir de tranches de courgettes et de cari, au goût.

8 portions

Préparation : 15 minutes
Cuisson : 15 minutes

Variante : Remplacer la garniture par de la salsa.

SANDWICH PITA VÉGÉTARIEN

1 contenant de 8 oz (240 g) de fromage à la crème doux à la ciboulette et à l'oignon de MARQUE PHILADELPHIA
½ tasse (125 ml) de vinaigrette hypocalorique crémeuse RANCHER'S CHOICE
2 tasses (500 ml) de bouquets de brocoli
1 tasse (250 ml) de tranches de champignons
1 tasse (250 ml) de lanières de poivron vert
½ tasse (125 ml) carottes râpées
¼ tasse (50 ml) de graines de tournesol
4 pains pita ronds, coupés en deux
½ tasse (125 ml) pousses de luzerne

- Mélanger le fromage à la crème et la vinaigrette dans un bol de taille moyenne. Ajouter le brocoli, les champignons, les poivrons, les carottes et les graines de tournesol; mélanger légèrement.
- Remplir chaque moitié de pain pita de ½ tasse (125 ml) de mélange aux légumes. Garnir de luzerne.

8 portions

Préparation : 20 minute

SALADE DE POULET DU BISTRO

6 tasses (1,5 l) de poulet cuit, en cubes
2 grosses pêches, dénoyautées, pelées, grossièrement hachées
1 tasse (250 ml) de tranches de céleri
1 tasse (250 ml) de moitiés de noix, grillées
4 grosses pêches, dénoyautées, pelées
1 contenant de 8 oz (240 g) de fromage à la crème doux aux ananas de MARQUE PHILADELPHIA
½ c. à thé (2 ml) de sel
¼ c. à thé (1 ml) de coriandre moulue

- Mélanger le poulet, deux pêches hachées, le céleri et les noix dans un grand bol.
- Réduire quatre pêches en purée au robot culinaire ou au mélangeur.
- Incorporer aux pêches le fromage à la crème, le sel et la coriandre; bien mélanger. Ajouter au mélange au poulet; agiter légèrement. Réfrigérer. Servir sur un lit de laitue, au goût.

8 portions

Préparation : 30 minutes, excluant la réfrigération

◆◆◆

Pour cuire le poulet, placer la poitrine désossée ou non dans une casserole et submerger de bouillon de poulet en conserve, de quelques grains de poivre et d'une feuille de laurier. Porter le bouillon à ébullition. Couvrir et mijoter de 35 à 40 minutes par livre (500 g) ou jusqu'à ce que poulet soit tendre. Égoutter; refroidir.

Potage mesa verde

HAMBOURGEOIS OLÉ

2 livres (1 kg) de boeuf haché
1 c. à table (15 ml) de coriandre fraîche finement hachée
1 c. à thé (5 ml) de cumin moulu
½ c. à thé (2 ml) de sel
1 avocat, dénoyauté, pelé, en purée
1 c. à table (15 ml) de jus de citron
1 contenant de 8 oz (240 g) de produit de fromage à la crème fondu pasteurisé léger de MARQUE PHILADELPHIA
2 oignons verts, finement tranchés
1 poivron de Jalapeño mariné, finement haché
8 pains à hambourgeois
Feuilles de laitue
Tomates

- Préparer les charbons pour le gril.
- Mélanger le boeuf haché, la coriandre, le cumin et le sel dans un bol de taille moyenne. Former seize petits pâtés.
- Mélanger l'avocat et le jus de citron dans un bol de taille moyenne. Ajouter le produit de fromage à la crème, les oignons et les poivrons; bien mélanger.
- Verser 1 c. à table (15 ml) de mélange aux avocats au centre de huit pâtés; tartiner jusqu'à ½ po (1 cm) du bord. Recouvrir des huit autres pâtés; sceller les bords. Réserver le reste du mélange aux avocats pour la garniture.
- Placer les pâtés sur une grille graissée au-dessus des charbons rougeoyants. Couvrir et griller de 2 à 4 minutes de chaque côté ou jusqu'au degré de cuisson désiré.
- Remplir chaque pain de laitue, de tomates et des pâtés. Garnir du reste du mélange aux avocats.

8 portions

Préparation : 20 minutes
Cuisson : 8 minutes

PÉTONCLES ET LÉGUMES À LA SAUCE CRÉMEUSE À LA CIBOULETTE ET À L'OIGNON

2 tasses (500 ml) de tranches d'oignon
1 tasse (250 ml) de morceaux de poivron vert
¼ tasse (50 ml) de carottes râpées
1 gousse d'ail hachée
2 c. à table (25 ml) de margarine PARKAY
2 livres (1 kg) de pétoncles d'eau douce ou d'eau de mer
1 c. à table (15 ml) de margarine PARKAY
Sauce crémeuse à la ciboulette et à l'oignon

- Faire revenir les légumes et l'ail dans 2 c. à table (25 ml) de margarine dans un grand poêlon à feu doux durant 30 minutes. Retirer les légumes au moyen d'une cuiller trouée. Réduire à feu doux.
- Faire revenir les pétoncles dans 1 c. à table (15 ml) de margarine dans le même poêlon à feu doux de 6 à 8 minutes ou jusqu'à ce que les pétoncles soient opaques; égoutter le liquide. Ajouter les légumes aux pétoncles dans le poêlon; remuer à feu doux durant 1 minute. Servir avec la sauce crémeuse à la ciboulette et à l'oignon. Garnir de quartiers d'oignon et d'un brin d'aneth frais, au goût. *8 portions*

SAUCE CRÉMEUSE À LA CIBOULETTE ET À L'OIGNON

1 contenant de 8 oz (240 g) de fromage à la crème doux à la ciboulette et à l'oignon de MARQUE PHILADELPHIA
¼ tasse (50 ml) de babeurre réduit en matières grasses
1 c. à table (15 ml) de jus de citron

- Remuer les ingrédients dans une petite casserole à feu doux jusqu'à l'obtention d'une consistance homogène.

Préparation : 15 minutes • **Cuisson :** 12 minutes

Les pétoncles de mer sont cultivées dans les eaux des états de l'Atlantique Centrale ou du Nord. Les pétoncles d'eau douce sont plus petites et plus sucrées que les pétoncles de mer et sont cultivées dans les baies intérieures de la Nouvelle-Angleterre jusqu'au Golfe du Mexique.

Pétoncles et légumes à la sauce crémeuse à la ciboulette et à l'oignon

PATÉS AU THON ET SAUCE CITRONNÉE AUX CÂPRES

1/2 tasse (125 ml) de fromage à la crème doux de MARQUE PHILADELPHIA
2 c. à table (25 ml) de moutarde de Dijon
2 boîtes de 6 1/2 oz (200 g) de thon albacore blanc, égoutté, en flocons
1/2 tasse (125 ml) de chapelure de pain sec
3 c. à table (50 ml) d'olives mûres dénoyautées, hachées
1 c. à table (15 ml) d'aneth frais finement haché
1/4 tasse (50 ml) de farine
2 c. à table (25 ml) de semoule de maïs
Margarine PARKAY
Sauce citronnée aux câpres

- Bien mélanger le fromage à la crème et la moutarde dans un bol de taille moyenne. Incorporer le thon, la chapelure, les olives et l'aneth, sans trop mélanger.
- Former des pâtés de 2 po (5 cm) avec 1/4 tasse (50 ml) de mélange au thon bien compact; enrober dans la farine et la semoule combinées.
- Fondre 2 c. à table (25 ml) de margarine dans un grand poêlon à feu moyen. Dorer les pâtés par fournées durant 3 à 5 minutes de chaque côté, en ajoutant de la margarine au besoin. Servir avec la sauce citronnée aux câpres.

4 portions

SAUCE CITRONNÉE AUX CÂPRES

1 contenant de 8 oz (240 g) de fromage à la crème doux de MARQUE PHILADELPHIA
2 c. à thé (10 ml) de jus de citron
2 c. à thé (10 ml) de câpres
2 c. à thé (10 ml) d'aneth frais haché

- Bien mélanger les ingrédients dans un petit bol.

Préparation : 20 minutes
Cuisson : 20 minutes

SALADE BOMBAY AU POULET

Le fromage neufchâtel «PHILLY» constitue une base merveilleusement crémeuse pour une vinaigrette. Le jus et le zeste d'orange procurent à cette salade une fraîcheur savoureuse.

6 tasses (1,5 l) de poulet cuit en cubes
2 boîtes de 11 oz (330 g) de segments de mandarine, égouttés
1 boîte de 8 oz (240 g) de chataîgnes d'eau, égouttées
1 tasse (250 ml) de cosses de pois
1 paquet de 8 oz (240 g) de fromage neufchâtel léger de MARQUE PHILADELPHIA, ramolli
1/3 tasse (75 ml) de jus d'orange
2 c. à thé (10 ml) de zeste d'orange râpé
1 c. à thé (5 ml) de cari
1/2 c. à thé (2 ml) de sel
1 boîte de 5 oz (150 g) de nouilles chow mein

- Mélanger le poulet, les oranges, les chataîgnes d'eau et les cosses de pois dans un grand bol.
- Bien mélanger le fromage neufchâtel, le jus d'orange, le zeste, le cari et le sel au robot culinaire ou au mélangeur. Ajouter au mélange au poulet; agiter légèrement. Réfrigérer. Garnir de nouilles chow mein au moment de servir.

8 portions

Préparation : 25 minutes, excluant la réfrigération

Pour apporter une touche décorative aux cosses de pois, tailler un petit «V» à chacune des extrémités des cosses au moyen de petits ciseaux ou d'un couteau à légumes.

Salade Bombay au poulet

CREVETTES TEQUILA

Un plat corsé très spécial!

1 livre (500 g) de crevettes moyennes nettoyées, non-cuites
1 poivron vert, coupé en morceaux de 1½ po (3 cm)
1 poivron rouge, coupé en morceaux de 1½ po (3 cm)
1 poivron jaune, coupé en morceaux de 1½ po (3 cm)
1 oignon moyen, coupé en quartiers
¼ tasse (50 ml) d'huile
1 c. à table (15 ml) de tequila
1 c. à table (15 ml) de jus de limette
1 gousse d'ail hachée
Sauce tequila

- Préparer les charbons pour le gril.
- Enfiler les crevettes, les poivrons et les oignons sur des brochettes.
- Faire mariner les brochettes dans l'huile, la tequila, le jus de limette et l'ail au réfrigérateur au moins 30 minutes. Égoutter.
- Placer les brochettes sur une grille graissée au-dessus des charbons rougeoyants. Couvrir et griller 1 ou 2 minutes de chaque côté ou jusqu'à ce que les crevettes soient roses. Servir avec la sauce tequila.

6 portions

SAUCE TEQUILA

1 contenant de 8 oz (240 g) de produit de fromage à la crème fondu pasteurisé léger de MARQUE PHILADELPHIA
2 c. à table (25 ml) de tequila
2 c. à table (25 ml) de jus de limette
2 c. à thé (10 ml) de coriandre fraîche hachée
2 c. à thé (10 ml) de zeste de limette râpé

- Bien mélanger les ingrédients dans un petit bol.

Préparation : 30 minutes, excluant le marinage
Cuisson : 4 minutes

Les crevettes sont cotées en fonction de leur taille. Les grosses crevettes ont une cote de 15 ou moins par livre (500 g). Les crevettes moyennes ont une cote de 36 par livre et les petites, une cote de 60 par livre.

FAJITAS AU POULET

Les tortillas tartinées de fromage à la crème doux aux herbes et à l'ail «PHILLY» ajoutent une bouffée de saveur à la garniture de poulet et de légumes de ces fajitas.

4 poitrines de poulet (environ 2 livres - 1 kg), désossées, dépouillées de leur peau, coupées en fines lanières
2 c. à table (25 ml) d'huile
1 poivron vert coupé en lanières
1 poivron rouge coupé en lanières
1 petit oignon tranché
2 gousses d'ail hachées
1 c. à table (15 ml) d'huile
1 contenant de 8 oz (240 g) de fromage à la crème doux aux herbes et à l'ail de MARQUE PHILADELPHIA
16 tortillas à la farine de 6 po (15 cm), réchauffées

- Faire revenir la moitié du poulet dans 2 c. à table (25 ml) d'huile dans un grand poêlon; retirer le poulet, en réservant l'huile dans le poêlon. Faire revenir le reste du poulet dans l'huile réservée. Retirer le poulet du poêlon; garder au chaud.
- Faire revenir les poivrons, les oignons et l'ail dans 1 c. à table (15 ml) d'huile dans le même poêlon. Ajouter au poulet; mélanger légèrement.
- Tartiner chaque tortilla d'environ 1 c. à table (15 ml) de fromage à la crème. Placer environ ½ tasse (125 ml) de mélange au poulet au centre de chaque tortilla; rouler. Servir avec de la salsa, au goût.

8 portions

Préparation : 20 minutes
Cuisson : 15 minutes

Crevettes tequila

TORTILLAS AU POULET SUR LE GRIL

Recevez à la mexicaine - servez ce plat avec la trempette coronado (se référer à la page 32).

4 poitrines de poulet d'environ 1½ livre (750 g), désossées, dépouillées de leur peau
¾ tasse (175 ml) de vinaigrette hypocalorique italienne «Zesty»
1 contenant de 8 oz (240 g) de fromage à la crème doux à la ciboulette et à l'oignon de MARQUE PHILADELPHIA
8 tortillas à la farine de 6 po (15 cm)
1 litre de laitue déchiquetée
2 avocats, pelés, dénoyautés, tranchés (facultatif)
1 tasse (250 ml) de salsa

- Faire mariner le poulet au moins 30 minutes au réfrigérateur dans un mélange composé de vinaigrette et de ¼ tasse (50 ml) de fromage à la crème; égoutter.
- Préparer les charbons pour le gril.
- Placer le poulet sur une grille graissée au-dessus des charbons rougeoyants. Griller, sans couvrir, de 6 à 8 minutes de chaque côté jusqu'à ce que la viande soit tendre.
- Tartiner les tortillas du reste du fromage à la crème. Placer les tortillas sur le gril, côté garni vers le haut, jusqu'à ce qu'elles soient tendres et que le fromage soit fondu.
- Trancher le poulet en lanières.
- Garnir le centre de chaque tortilla de laitue, d'avocats, de salsa et de poulet; rouler.

4 portions

Préparation : 15 minutes, excluant le marinage
Cuisson : 16 minutes

FRITTATA AUX HERBES

1 tasse (250 ml) tranches de courgettes
⅓ tasse (75 ml) de tranches d'oignon
2 c. à table (25 ml) de margarine PARKAY
1 contenant de 8 oz (240 g) de fromage à la crème doux aux herbes et à l'ail de MARQUE PHILADELPHIA
¼ tasse (50 ml) de lait
6 oeufs battus
2 tasses (500 ml) de pommes de terre rissolées à la mode du Sud, décongelées
¼ c. à thé (1 ml) de sel
⅛ c. à thé (0,5 ml) de poivre
1 tasse ou 4 oz (250 ml ou 120 g) de fromage Colby/Monterey Jack en grains KRAFT

- Préchauffer le four à 350°F (180°C).
- Faire revenir les courgettes et les oignons à la margarine dans un poêlon de 10 po (25 cm) allant au four jusqu'à ce qu'ils soient tendres.
- Bien mélanger le fromage à la crème et le lait dans un bol de taille moyenne. Incorporer les oeufs, les pommes de terre et les assaisonnements; verser dans le poêlon.
- Cuire de 25 à 30 minutes ou jusqu'à ce que la préparation prenne. Garnir immédiatement de fromage en grains. Laisser reposer 5 minutes.

8 portions

Préparation : 10 minutes, excluant l'attente
Cuisson : 30 minutes

Variante : Ajouter six tranches de bacon OSCAR MAYER, croustillantes, émiettées, avec les pommes de terre.

MICRO-ONDES : • Fondre la margarine dans un plat de 8 po (20 cm) à HAUTE INTENSITÉ, de 30 secondes à 1 minute. • Ajouter les courgettes, les oignons et les pommes de terre en remuant. • Cuire à HAUTE INTENSITÉ 3 ou 4 minutes ou jusqu'à ce que les courgettes soient tendres, en remuant après 2 minutes. • Bien mélanger le fromage à la crème et le lait dans un bol de taille moyenne. Ajouter les oeufs et les assaisonnements en remuant. Verser dans un plat allant au micro-ondes; couvrir. • Cuire à HAUTE INTENSITÉ de 12 à 14 minutes ou jusqu'à ce que les oeufs soient presque pris, en remuant après 4 minutes. • Garnir immédiatement de fromage en grains. Laisser reposer 5 minutes.

Cuisson au micro-ondes : 19 minutes

Frittata aux herbes

TORTELLINI AU SAUMON

Ces tortellini crémeux peuvent être servis en tant que plat principal avec divers légumes frais et colorés ou pour accompagner du poulet ou des fruits de mer.

1 paquet de 7 oz (210 g) de tortellini au fromage, cuits, égouttés
1 contenant de 8 oz (240 g) de fromage à la crème doux au saumon fumé de MARQUE PHILADELPHIA
1/2 tasse (125 ml) de concombre finement haché
1 c. à thé (5 ml) d'aneth séché ou 2 c. à thé (10 ml) d'aneth frais haché

- Agiter légèrement les tortellini chauds avec les autres ingrédients. Servir immédiatement.

6 à 8 portions

Préparation : 30 minutes

PLAT À L'AUBERGINE ET AU BLÉ BOULGHOUR

Un plat principal sans viande qui change agréablement des pâtes et du riz, le blé boulghour ressemble au riz brun et au riz sauvage en saveur et en texture.

1 tasse (250 ml) de blé boulghour
1/2 tasse (125 ml) de poivron vert haché
1/4 tasse (50 ml) d'oignon haché
1/4 tasse (50 ml) de margarine PARKAY
4 tasses (1 l) d'aubergine pelée, en cubes
1 boîte de 15 oz (450 g) de sauce à la tomate
1 boîte de 14 1/2 oz (435 g) de tomates non égouttées, coupées
1/2 tasse (125 ml) d'eau froide
1/2 c. à thé (2 ml) de feuilles d'origan séchées, broyées
1 paquet de 8 oz (240 g) de fromage à la crème de MARQUE PHILADELPHIA, ramolli
1 oeuf
Fromage parmesan 100 % naturel râpé KRAFT

- Préchauffer le four à 350°F (180°C).
- Faire revenir le blé boulghour, les poivrons et les oignons à la margarine dans un grand poêlon jusqu'à ce que les légumes soient tendres.
- Ajouter l'aubergine, la sauce à la tomate, les tomates, l'eau et l'origan en remuant. Couvrir; mijoter de 15 à 20 minutes ou jusqu'à ce que l'aubergine soit tendre, en remuant occasionnellement.
- Bien mélanger le fromage à la crème et l'oeuf dans un petit bol à la vitesse moyenne d'un batteur électrique.
- Mettre la moitié de la préparation aux légumes dans un plat allant au four ou une cocotte de 1 1/2 litre; garnir du mélange au fromage à la crème et du reste du mélange aux légumes. Couvrir.
- Cuire 15 minutes. Retirer le couvercle; saupoudrer de fromage parmesan. Poursuivre la cuisson durant 10 minutes ou jusqu'à ce que le tout soit bien cuit.

8 à 10 portions

Préparation : 30 minutes
Cuisson : 25 minutes

MICRO-ONDES : • Omettre l'eau. • Cuire le blé boulghour, les poivrons et les oignons à la margarine dans une cocotte de 2 litres à HAUTE INTENSITÉ durant 4 ou 5 minutes ou jusqu'à ce que les légumes soient tendres, en remuant après 3 minutes. • Ajouter l'aubergine, la sauce à la tomate, les tomates et l'origan en remuant; couvrir. • Cuire à HAUTE INTENSITÉ de 10 à 15 minutes ou jusqu'à ce que l'aubergine soit tendre, en remuant aux 6 minutes. • Bien mélanger le fromage à la crème et l'oeuf dans un petit bol à la vitesse moyenne d'un batteur électrique. • Mettre la moitié du mélange aux légumes dans une cocotte de 2 litres; garnir du mélange au fromage à la crème et du reste du mélange aux légumes. • Cuire à HAUTE INTENSITÉ de 7 à 9 minutes ou jusqu'à ce que la préparation soit très chaude. Saupoudrer de fromage parmesan. Laisser reposer 5 minutes.

Cuisson au micro-ondes : 29 minutes

Le blé boulghour, un blé craquelé bouilli, est utilisé en Grèce et au Moyen-Orient. Il s'agit d'un grain à longue durée de conservation disponible en textures fine, moyenne et grossière. Comme le riz, il devrait être cuit dans du liquide jusqu'à l'absorption complète du liquide.

Tortellini au saumon

TOSTADAS AU POULET

3 tasses (750 ml) de poulet cuit, déchiqueté
1½ tasse (375 ml) de salsa
8 tostadas
1 contenant de 8 oz (240 g) de produit de fromage à la crème fondu pasteurisé léger de MARQUE PHILADELPHIA
1½ tasse (375 ml) de laitue déchiquetée
1 tomate, hachée
1 paquet de 8 oz (240 g) de fromage cheddar réduit en matières grasses, doux, en grains, naturel, léger KRAFT

- Agiter le poulet avec la salsa.
- Tartiner les coquilles tostada de produit de fromage à la crème; garnir du mélange au poulet, de laitue, de tomates et de fromage. Servir avec de la salsa et des tranches de poivron de Jalapeño, au goût.

8 portions

Préparation : 20 minutes

SOUPE AU RIZ SAUVAGE ET À LA CRÈME DE DINDE

Une grande idée pour constituer un repas du midi ou une entrée à partir de restes de dinde.

1 tasse (250 ml) d'eau froide
1 oz (30 g) de champignons séchés
¾ tasse (175 ml) de céleri finement haché
¾ tasse (175 ml) de poivron vert finement haché
¼ tasse (50 ml) de margarine PARKAY
⅓ tasse (75 ml) de farine
2 boîtes de 13¾ oz (415 g) de bouillon de poulet
1 contenant de 8 oz (240 g) de fromage à la crème doux à la ciboulette et à l'oignon de MARQUE PHILADELPHIA
½ tasse (125 ml) de lait
1½ tasse (375 ml) de poitrine de poulet désossé grillé au four de LOUIS RICH, en cubes
3 c. à table (50 ml) de sherry sec

- Porter l'eau à ébullition; verser sur les champignons dans un petit bol. Laisser tremper 30 minutes; égoutter. Hacher.
- Faire revenir le céleri et les poivrons à la margarine dans une grande casserole jusqu'à ce qu'ils soient tendres. Mélanger la farine; cuire 2 minutes. Ajouter graduellement le bouillon; cuire, en remuant constamment, jusqu'à ce que le mélange épaississe quelque peu.
- Ajouter le fromage à la crème et le lait en remuant; bien mélanger. Ajouter le riz, la dinde, les champignons et le sherry; cuire, en remuant occasionnellement, jusqu'à ce que la préparation soit bien cuite. *(Ne pas bouillir.)*

8 portions

Préparation : 30 minutes, excluant le trempage

Variante : Omettre l'eau. Remplacer les champignons séchés par 1 tasse (250 ml) de champignons frais. Faire revenir les champignons avec le céleri et le poivron.

Le riz sauvage, comme les autres riz, constitue en réalité le grain riche en féculents d'une plante cultivée dans l'eau. On retrouve cette plante à l'état sauvage dans le Nord des États-Unis et au Sud du Canada.

Tostadas au poulet

SALADE DES BELLES RÉCEPTIONS

4 litres de laitue romaine déchiquetée
1 livre (500 g) de rôti de boeuf saignant en fines lanières
1 poivron rouge en lanières
5 oignons verts, tranchés
Vinaigrette au fromage bleu

- Agiter les ingrédients à salade dans un grand bol. Garnir au goût. Couronner de vinaigrette au fromage bleu. *10 portions*

VINAIGRETTE AU FROMAGE BLEU
1 paquet de 8 oz (240 g) de fromage neufchâtel léger de MARQUE PHILADELPHIA, ramolli
1 tasse (250 ml) de crème aigre moitié-moitié BREAKSTONE'S LIGHT CHOICE
3 gouttes de sauce au poivre piquante
½ c. à thé (2 ml) de sel
½ tasse ou 2 oz (125 ml ou 60 g) de grains de fromage bleu KRAFT

- Bien mélanger les ingrédients, sauf le fromage bleu, au robot culinaire ou au mélangeur. Ajouter le fromage bleu en remuant.

Préparation : 15 minutes

HAMBOURGEOIS PITA À LA DINDE

2 livres (1 kg) de dinde hachée
½ tasse (125 ml) de persil frais haché
2 gousses d'ail hachées
½ c. à thé (2 ml) de sel
½ c. à thé (2 ml) de poivre
1 gros oignon tranché
1 c. à table (15 ml) de margarine PARKAY
4 pains pita ronds, coupés en deux
1 grosse tomate, tranchée
Sauce au cari

- Préparer les charbons pour le gril.
- Bien mélanger la dinde, le persil, l'ail, le sel et le poivre dans un grand bol; former huit pâtés de ½ po (1 cm).
- Mettre l'oignon et la margarine au centre d'un papier d'aluminium de 25 x 12 po (62,5 x 30 cm). Refermer le papier pour former un sachet.
- Placer les pâtés et le sachet d'oignon sur une grille graissée au-dessus des charbons rougeoyants. Couvrir et griller de 12 à 14 minutes ou jusqu'à ce que la viande soit cuite, en retournant les pâtés après 6 minutes.
- Remplir chaque pain d'un pâté, d'oignons et de tomates. Garnir de sauce au cari.

8 portions

SAUCE AU CARI
½ tasse (125 ml) de fromage à la crème doux aux herbes et à l'ail de MARQUE PHILADELPHIA
½ tasse (125 ml) de yogourt nature
¼ tasse (50 ml) de cari

- Bien mélanger les ingrédients dans un petit bol.

Préparation : 15 minutes
Cuisson : 14 minutes

RAGOÛT AU JAMBON ET AU FROMAGE

1 paquet de 10 oz (300 g) de légumes pour pâtes primavera dans une sauce assaisonnée BIRDS EYE, décongelé
1 paquet de 8 oz (240 g) de fromage à la crème de MARQUE PHILADELPHIA, en cubes
⅓ tasse (75 ml) de lait
1½ tasse ou ¾ livre (375 ml ou 375 g) de jambon en cubes
⅓ tasse (75 ml) de craquelins au fromage, émiettés

- Préchauffer le four à 350°F (180°C).
- Cuire la préparation aux légumes, le fromage à la crème et le lait dans une casserole de taille moyenne à feu moyen-élevé jusqu'à ce que le fromage à la crème soit fondu, en remuant occasionnellement. Ajouter le jambon en remuant.
- Verser à la cuiller dans une cocotte de 1½ litre; garnir de craquelins. Cuire 25 minutes.

4 portions

Préparation : 20 minutes
Cuisson : 25 minutes

Salade des belles réceptions

BAGUEL CROUSTILLANT AU SAUMON

1 boîte de 15 ½ oz (465 g) de saumon, égoutté, désossé, en flocons
1 paquet de 8 oz (240 g) de fromage neufchâtel léger DE MARQUE PHILADELPHIA, ramolli
½ tasse (125 ml) de mayonnaise KRAFT légère, hypocalorique, sans cholestérol
½ tasse (125 ml) de cornichons à l'aneth hachés
½ tasse (125 ml) de tranches d'olives vertes
1 c. à table (15 ml) de jus de cornichons à l'aneth
1 c. à thé (5 ml) de poivre
4 baguels LENDER'S, séparés, grillés

- Bien mélanger tous les ingrédients, à l'exception des baguels, dans un bol de taille moyenne. Tartiner les baguels. *4 portions*

Préparation : 10 minutes

SALADE ESTIVALE DANS UN PETIT PAIN

1 contenant de 8 oz (240 g) de fromage à la crème doux aux herbes et à l'ail DE MARQUE PHILADELPHIA
¼ tasse (50 ml) de vinaigrette italienne hypocalorique «Zesty» KRAFT
2 courges jaunes moyennes hachées
1 courgette moyenne hachée
1 piment rouge haché
1 tasse (250 ml) de laitue déchiquetée
½ tasse (125 ml) de persil frais haché
8 petits pains croûtés au sésame

- Bien mélanger ½ tasse (125 ml) de fromage à la crème et la vinaigrette dans un grand bol. Ajoutez les légumes, la laitue et le persil; bien mélanger.
- Couper une tranche de ½ po (1 cm) à une extrémité du pain; retirer la mie du pain pour laisser une coquille de ¼ po (6 mm).
- Tartiner l'intérieur des pains avec le reste du fromage à la crème; remplir avec le mélange aux légumes.

8 portions

Préparation : 30 minutes

ORZO CRÉMEUX AU PROSCIUTTO

Cette pâte savoureuse peut être servie en tant que plat d'accompagnement copieux ou comme plat principal pour un repas léger.

2 gousses d'ail hachées
2 c. à table (30 ml) de margarine PARKAY
1 paquet de 8 oz (240 g) de fromage la crème DE MARQUE PHILADELPHIA, en cubes
½ tasse (125 ml) de bouillon de poulet
Une pincée de safran
1 paquet de 16 oz (480 g) d'orzo, cuit, égoutté
1 paquet de 10 oz (300 g) de pois tendres miniatures BIRDS EYE Deluxe, décongelés
3 oz (90 g) de prosciutto en tranches minces, coupé en lanières juliennes
Sel et poivre

- Faire revenir l'ail et la margarine dans une grande casserole. Ajouter le fromage à la crème, le bouillon et le safran; remuer à feu doux jusqu'à ce que le fromage soit fondu.
- Ajouter l'orzo, les pois et le prosciutto; bien chauffer en remuant à l'occasion. Saler et poivrer au goût. Servir avec du fromage parmesan, au goût.

8 à 10 portions

Préparation : 25 minutes

Suggestion : On peut doubler la recette pour un repas principal.

L'orzo est une minuscule pâte en forme de grain de riz. On l'utilise habituellement dans les soupes; toutefois, les cuisiniers italiens utilisent cette pâte dans des plats d'accompagnement savoureux.

Orzo crémeux au prosciutto

POTAGE À LA COURGE MUSQUÉE

1/4 tasse (50 ml) de tranches de céleri
3 c. à table (50 ml) d'oignon haché
2 c. à table (25 ml) de margarine PARKAY
1 livre (500 g) de courge musquée pelée, en cubes
1 1/4 tasse (300 ml) d'eau froide
1 c. à thé (5 ml) de bouillon de poulet instantané
1/4 c. à thé (1 ml) de feuilles de marjolaine séchées
1/8 c. à thé (0,5 ml) de poivre noir
1 contenant de 8 oz (240 g) de fromage à la crème doux de PHILADELPHIA
1/4 tasse (50 ml) de poivrons rouges rôtis, en purée

- Faire revenir le céleri et les oignons à la margarine dans une grande casserole jusqu'à ce qu'ils soient tendres.
- Ajouter le reste des ingrédients, sauf le fromage à la crème et des poivrons rouges. Porter à ébullition; mijoter à feu moyen, en couvrant, de 15 à 20 minutes ou jusqu'à ce que la courge soit tendre.
- Passer la préparation au robot culinaire ou au mélangeur jusqu'à l'obtention d'une consistance homogène. Ajouter le fromage à la crème; bien mélanger.
- Verser à la cuiller dans des bols. Garnir d'environ 1 c. à table (15 ml) de poivron rouge en purée. Créer un motif dans la purée à l'aide d'un cure-dents. Garnir de basilic frais, au goût.

Quatre portions de 1 tasse (250 ml)

Préparation : 30 minutes

MICRO-ONDES : • Faire revenir le céleri et l'oignon à la margarine dans une cocotte de 2 litres à HAUTE INTENSITÉ durant 4 ou 5 minutes ou jusqu'à ce que les légumes soient tendres. • Ajouter le reste des ingrédients, sauf le fromage à la crème et des poivrons rouges; couvrir. • Cuire à HAUTE INTENSITÉ de 15 à 17 minutes ou jusqu'à ce que la courge soit tendre. • Passer le mélange au robot culinaire ou au mélangeur jusqu'à l'obtention d'une consistance homogène. Ajouter le fromage à la crème et bien mélanger. • Verser à la cuiller dans des bols. Garnir d'environ 1 c. à table (15 ml) de poivron rouge en purée. Créer un motif dans la purée à l'aide d'un cure-dents. Garnir de basilic frais, au goût.

Cuisson au micro-ondes : 22 minutes

Utiliser un éplucheur pour peler la courge musquée - cela rend la tâche plus facile et évite le gaspillage.

SALADE DE DINDE AUX MACARONIS

7 oz (210 g) de macaroni, cuits, égouttés
2 tasses (500 ml) de poitrine de dinde cuites au four de LOUIS RICH, en cubes
1 tasse (250 ml) tranches de céleri
1/2 tasse (125 ml) de poivron rouge haché
2 c. à table (25 ml) de persil frais haché
1 contenant de 8 oz (240 g) de fromage à la crème doux à la ciboulette et à l'oignon de MARQUE PHILADELPHIA
3/4 tasse (175 ml) de crème aigre de BREAKSTONE'S
1/4 tasse (50 ml) de lait
1/2 c. à thé (2 ml) de feuilles de basilic séchées, broyées
Sel et poivre
Feuilles d'épinard frais

- Remuer les macaroni, la dinde, le céleri, le poivron rouge et le persil dans un grand bol.
- Bien mélanger le fromage à la crème, la crème aigre, le lait et le basilic dans un petit bol.
- Ajouter le mélange au fromage à la crème au mélange au macaroni. Saler et poivrer au goût.
- Réfrigérer.
- Ajouter du lait avant de servir, au goût. Servir sur un lit d'épinards dans des assiettes à salade.

8 portions

Préparation : 30 minutes, excluant la réfrigération

Potage à la courge musquée

ROULÉS DE LASAGNE AUX QUATRE FROMAGES

Le fromage à la crème, le ricotta, le parmesan et le mozzarella sont les quatre fromages qui composent cette copieuse lasagne sans viande.

8 nouilles à lasagne
1 contenant de 15 oz (450 g) de fromage ricotta
1 paquet de 8 oz (240 g) de fromage à la crème de MARQUE PHILADELPHIA, ramolli
1/2 tasse ou 2 oz (125 ml ou 60 g) de fromage parmesan 100 % naturel râpé KRAFT
1 oeuf
2 c. à table (25 ml) de persil frais haché
1 c. à thé (5 ml) de sel
1 pot de 15 1/2 oz (465 g) de sauce à spaghetti
1 tasse ou 4 oz (250 ml ou 120 g) de fromage mozzarella partiellement écrémé à teneur réduite en humidité en grains KRAFT

- Préchauffer le four à 350°F (180°C).
- Cuire les nouilles à lasagne selon les indications de l'emballage. Égoutter, rincer et assécher.
- Bien mélanger le fromage ricotta, le fromage à la crème, le fromage parmesan, l'oeuf, le persil et le sel dans un petit bol à la vitesse moyenne d'un batteur électrique.
- Tartiner chaque nouille de 1/3 tasse (75 ml) de mélange au fromage à la crème; rouler.
- Verser à la cuiller 1/2 tasse (125 ml) de sauce à spaghetti dans un plat de 12 x 8 po (30 x 20 cm) allant au four. Placer les roulés de lasagne dans le plat; garnir avec le reste de la sauce. Parsemer de fromage mozzarella.
- Cuire de 35 à 40 minutes ou jusqu'à ce que les lasagnes soient très chaudes.

8 portions

Préparation : 30 minutes
Cuisson : 40 minutes

MICRO-ONDES : • Préparer les roulés de lasagne selon les indications ci-dessus, sauf pour la garniture au fromage mozzarella et pour la cuisson. • Cuire à HAUTE INTENSITÉ 6 minutes, en tournant le plat après 3 minutes. • Parsemer de fromage mozzarella; cuire à HAUTE INTENSITÉ 5 ou 6 minutes ou jusqu'à ce que le tout soit bien cuit, en tournant le plat après 3 minutes. Laisser reposer 5 minutes avant de servir.

Cuisson au micro-ondes : 12 minutes

SALADE NIÇOISE

2 boîtes de 6 1/2 oz (200 g) de thon dans l'eau, égoutté, en flocons
8 pommes de terre nouvelles, cuites, réfrigérées, tranchées
1/2 livre (250 g) de haricots verts, cuits, réfrigérés
1/2 livre (250 g) de haricots jaunes, cuits, réfrigérés
8 radis tranchés
Olives mûres dénoyautées
Légumes verts variés, déchiquetés
Vinaigrette aux herbes

- Disposer le thon, les pommes de terre, les haricots, les radis, les olives et les légumes verts dans un plat de service ou dans des assiettes. Servir avec la vinaigrette aux herbes.

8 portions

VINAIGRETTE AUX HERBES

1/4 tasse (50 ml) de feuilles de basilic frais
1 c. à table (15 ml) de persil frais, sans tige
1 petite échalote
1 contenant de 8 oz (240 g) de produit de fromage à la crème fondu pasteurisé léger de MARQUE PHILADELPHIA
1/3 tasse (75 ml) de lait écrémé
3 c. à table (50 ml) de vinaigre de vin blanc
1/2 c. à thé (2 ml) de sel
1/2 c. à thé (2 ml) de poivre

- Hacher le basilic, le persil et l'échalote au robot culinaire ou au mélangeur. Ajouter le reste des ingrédients; bien mélanger.

Préparation : 35 minutes

Salade niçoise

SHASHLYK D'AGNEAU GRILLÉ AVEC SAUCE CRÉMEUSE À LA MENTHE

Le fromage à la crème «PHILLY», le yogourt et la menthe constituent un mélange parfait de saveurs pour accompagner ces brochettes à l'agneau grillé.

2 livres (1 kg) d'agneau maigre, coupé en cubes de 1½ po (3 cm)
½ tasse (125 ml) de vinaigrette hypocalorique au vinaigre de vin rouge et à l'huile SEVEN SEAS VIVA
1 poivron vert en morceaux ce 1 po (2,5 cm)
1 poivron rouge en morceaux de 1 po (2,5 cm)
1 poivron jaune en morceaux de 1 po (2,5 cm)
1 petit oignon rouge, coupé en quartiers
1 citron, finement tranché
Sauce crémeuse à la menthe

- Faire mariner l'agneau dans la vinaigrette au réfrigérateur durant plusieurs heures ou durant la nuit. Égoutter, en réservant la marinade pour l'arrosage.
- Préparer les charbons pour le gril.
- Enfiler l'agneau, les légumes et le citron sur les brochettes. Placer sur une grille graissée au-dessus des charbons rougeoyants.
- Griller, sans couvrir, de 4 à 6 minutes de chaque côté ou jusqu'au degré de cuisson désiré, en badigeonnant fréquemment avec la marinade réservée. Servir avec la sauce crémeuse à la menthe.

8 portions

SAUCE CRÉMEUSE À LA MENTHE

1 contenant de 8 oz (240 g) de fromage à la crème doux de MARQUE PHILADELPHIA
½ tasse (125 ml) de yogourt nature
2 c. à table (25 ml) de menthe fraîche hachée
1 gousse d'ail hachée
⅛ c. à thé (0,5 ml) de poivre noir

- Bien mélanger les ingrédients au robot culinaire ou au mélangeur.

Préparation : 20 minutes, excluant le marinage
Cuisson : 12 minutes

Shashlyk d'agneau grillé avec sauce crémeuse à la menthe

FILET MIGNON EN CROÛTE

Vous ferez l'objet de critiques élogieuses lorsque vous servirez cette élégante entrée.

1 filet mignon de 3 à 4 livres (1,5 à 2 kg)
1/2 livre (250 g) de champignons finement hachés
2 c. à table (25 ml) de margarine PARKAY
1 contenant de 8 oz (240 g) de fromage à la crème doux aux herbes et à l'ail de MARQUE PHILADELPHIA
1/4 tasse (50 ml) de chapelure de pain sec assaisonné
2 c. à table (25 ml) de vin de madère
1 c. à table (15 ml) d'échalotes fraîches hachées
1/4 c. à thé (1 ml) de sel
1 paquet de 17 1/4 oz (520 g) de pâte feuilletée prête-à-cuire congelée
1 oeuf battu
1 c. à table (15 ml) d'eau froide

- Préchauffer le four à 425°F (220°C).
- Attacher la viande avec une ficelle à des intervalles de 1 po (2,5 cm), au besoin. Placer la viande dans un plat allant au four.
- Griller de 45 à 50 minutes ou jusqu'à ce qu'un thermomètre à viande indique 135°F (57°C). Retirer du four; refroidir 30 minutes au réfrigérateur. Retirer la ficelle.
- Faire revenir les champignons à la margarine dans un grand poêlon durant 10 minutes ou jusqu'à ce que le liquide s'évapore, en remuant occasionnellement.
- Ajouter le fromage à la crème, la chapelure, le vin, les échalotes et le sel; bien mélanger. Refroidir.
- Faire décongeler la pâte selon les indications de l'emballage.
- Sur une surface légèrement farineuse, placer les feuilles de pâte bout-à-bout en faisant en sorte qu'elles se chevauchent de 1/2 po (1 cm), de façon à former un rectangle de 14 x 12 po (35 x 30 cm); appuyer fermement sur les extrémités pour sceller. Tailler la longueur de la pâte de façon qu'elle compte 2 1/2 po (6 cm) de plus que la viande.
- Placer la viande au centre de la pâte; tartiner le dessus et les côtés de la viande du mélange aux champignons.
- Replier la pâte sur la viande; appuyer sur les extrémités pour sceller. Décorer de morceaux de pâte taillés, au goût.
- Badigeonner la pâte avec l'oeuf et l'eau combinés. Placer la viande dans un moule pour gâteau roulé graissé de 15 x 10 x 1 po (38 x 25 x 2,5 cm).
- Cuire de 20 à 25 minutes ou jusqu'à ce que la pâte soit bien dorée. Laisser reposer 10 minutes avant de trancher pour servir.

8 à 10 portions

Préparation : 1 heure, excluant la réfrigération
Cuisson : 25 minutes

La façon la plus facile et la plus appropriée de vérifier le degré de cuisson de la viande consiste à utiliser un thermomètre à viande. Ce dernier doit être inséré au centre de la partie la plus épaisse de la viande, sans toutefois toucher aux os. Le thermomètre indiquera 140°F (60°C) pour une viande saignante et 160°F (70°C) pour une cuisson à point. La température de la viande augmentera de 5° à 10°F durant le temps de pause; il faut donc tenir compte de ce facteur et retirer la viande du four à temps pour obtenir le degré de cuisson désiré.

Filet mignon en croûte

PAIN DORÉ AU FOUR À LA SAUCE À L'ÉRABLE ET AUX CANNEBERGES

Une formidable idée pour un brunch. Pour préparer la recette d'avance, suivre les indications sauf pour la cuisson. Couvrir et réfrigérer durant la nuit. Retirer le couvercle et cuire tel qu'indiqué.

1 paquet de 8 oz (240 g) de fromage à la crème de MARQUE PHILADELPHIA, ramolli
3/4 tasse (175 ml) de sucre
1/4 tasse (50 ml) de margarine PARKAY
2 c. à thé (10 ml) de vanille
1 c. à thé (5 ml) de cannelle moulue
4 oeufs
2 1/2 tasses (625 ml) de lait
1 baguette de pain de 1 livre (500 g), coupée en tranches de 1 1/2 po (3 cm)
1 tasse (250 ml) de canneberges
Sauce à l'érable et aux canneberges

- Préchauffer le four à 350°F (180°C).
- Bien mélanger le fromage à la crème, le sucre, la margarine, la vanille et la cannelle dans un grand bol à la vitesse moyenne d'un batteur électrique. Incorporer les oeufs, un à la fois, en mélangeant bien après chaque addition. Ajouter le lait en remuant.
- Verser le mélange au fromage à la crème sur le pain et les canneberges combinés dans un grand bol; agiter légèrement. Laisser reposer 15 minutes, en disposant le pain différemment dans le bol à l'occasion pour humidifier également.
- Disposer le pain en rangées dans un plat graissé allant au four de 13 x 9 po (33 x 22 cm). Verser le reste du mélange au fromage à la crème sur le pain.
- Cuire de 40 à 45 minutes ou jusqu'à ce que pain soit doré. Servir avec la sauce à l'érable et aux canneberges.

10 à 12 portions

SAUCE À L'ÉRABLE ET AUX CANNEBERGES

1 tasse (250 ml) de sirop LOG CABIN
2 tasses (500 ml) de canneberges
2 c. à table (25 ml) de sucre

- Porter le sirop à ébullition dans une casserole de taille moyenne. Ajouter les canneberges et le sucre.
- Cuire 10 minutes à feu doux, en remuant occasionnellement. Refroidir quelque peu.

Préparation : 25 minutes, excluant l'attente
Cuisson : 45 minutes

QUEUES DE HOMARD DU BORD DU LAC

Le fromage à la crème «PHILLY» mélangé au vin blanc et aux oignons constitue une garniture simple mais splendide pour des queues de homard frais.

4 queues de homard nettoyées de 1 livre ch. (500 g) avec leur coquille
Sauce au vin et aux herbes

- Préparer les charbons pour le gril.
- Couper chaque queue de homard au centre du dos à l'aide d'un couteau ou de cisailles de cuisine; écarter pour ouvrir.
- Placer le homard, coquille vers le bas, sur une grille graissée au-dessus des charbons rougeoyants. Couvrir et griller de 5 à 8 minutes de chaque côté ou jusqu'à ce que la coquille soit d'un rouge vif et que la viande soit blanche.
- Servir avec la sauce au vin et aux herbes. Garnir de quartiers de citron, au goût.

4 portions

SAUCE AU VIN ET AUX HERBES

1 contenant de 8 oz (240 g) de fromage à la crème doux aux herbes et à l'ail de MARQUE PHILADELPHIA
1/4 tasse (50 ml) de vin blanc sec
2 oignons verts finement tranchés
1/2 c. à thé (2 ml) de sel

- Bien mélanger les ingrédients dans un petit bol.

Préparation : 15 minutes
Cuisson : 16 minutes

Queues de homard du bord du lac

RAGOÛT DE POULET À L'ORZO

- 2/3 tasse (150 ml) d'oignon haché
- 1 boîte de 4 oz (120 g) de champignons, égouttés
- 1/3 tasse (75 ml) de tranches de céleri
- 1/3 tasse (75 ml) de carottes finement hachées
- 1/4 livre (125 g) de saucisses italiennes dépouillées de leur enveloppe, émiettées
- 4 tranches de bacon OSCAR MAYER, hachées
- 1 c. à table (15 ml) d'huile d'olive
- 1 1/2 livre (750 g) de poitrines de poulet désossées, dépouillées de leur peau, en morceaux de 1/2 po (1 cm)
- 1 feuille de laurier
- 1 grosse gousse d'ail hachée
- 3/4 tasse (175 ml) de vin Marsala sec
- 1 boîte de 14 1/2 oz (440 g) de tomates coupées dans leur jus
- 1 tasse (250 ml) de bouillon de poulet
- 1/8 c. à thé (0,5 ml) de clou de girofle moulu
- 1 contenant de 8 oz (240 g) de fromage à la crème doux aux olives et aux piments de MARQUE PHILADELPHIA
- 3/4 tasse ou 4 oz (175 ml ou 120 g) d'orzo, cuit, égoutté

- Faire revenir les oignons, les champignons, le céleri, les carottes, la saucisse et le bacon à l'huile dans une grosse cocotte durant 5 minutes.
- Ajouter le poulet, la feuille de laurier et l'ail; cuire 4 minutes en remuant à l'occasion.
- Incorporer le vin. Porter à ébullition. Mijoter à feu moyen de 10 à 15 minutes ou jusqu'à ce qu'il ne reste que peu de liquide.
- Ajouter les tomates, le bouillon et le clou de girofle en remuant. Porter à ébullition à feu moyen-élevé; mijoter à feu moyen durant 20 minutes ou jusqu'à l'obtention d'une consistance légèrement épaisse. Retirer du feu.
- Ajouter le fromage à la crème et l'orzo en remuant; bien mélanger.

6 portions

Préparation : 30 minutes
Cuisson : 40 minutes

FETTUCCINI À LA CRÈME DE TOMATES SÉCHÉES AU SOLEIL

- 2/3 tasse (150 ml) de tomates séchées au soleil
- 3 ou 4 gousses d'ail
- 1 contenant de 8 oz (240 g) de fromage à la crème doux de MARQUE PHILADELPHIA
- 1/2 c. à thé (2 ml) de feuilles d'origan séchées, broyées
- 1/4 tasse (50 ml) de margarine PARKAY
- 1/4 tasse (50 ml) de crème aigre BREAKSTONE'S
- 1 livre (500 g) de fettuccini, cuits, égouttés
- 1/4 tasse (50 ml) d'huile d'olive
- Sel et poivre
- 2 c. à table (25 ml) de persil frais haché

- Couvrir les tomates d'eau bouillante; laisser reposer 10 minutes. Égoutter.
- Hacher grossièrement les tomates et l'ail au robot culinaire ou au mélangeur. Ajouter le fromage à la crème et l'origan; bien mélanger.
- Fondre la margarine dans une casserole de taille moyenne; ajouter le mélange au fromage à la crème et la crème aigre en remuant. Bien chauffer.
- Ajouter l'huile aux fettuccini et agiter.
- Ajouter le mélange au fromage à la crème. Saler et poivrer au goût. Saupoudrer de persil haché. Servir immédiatement.

8 à 10 portions

Préparation : 30 minutes

On peut se procurer les tomates séchées au soleil dans un emballage à sec ou dans l'huile, habituellement l'huile d'olive. Les tomates emballées à sec, comme les fruits séchés de bonne qualité, devraient être légèrement humides au toucher.

Fettucini à la crème de tomates séchées au soleil

SAUMON GRILLÉ À LA SAUCE CRÉMEUSE AU CONCOMBRE

6 à 8 filets de saumon d'une épaisseur de 1 à 1½ po (2,5 ou 3 cm)
¼ tasse (50 ml) d'huile d'olive
2 c. à table (25 ml) d'aneth frais haché ou 1 c. à thé (5 ml) d'aneth séché
1 c. à table (15 ml) de jus de limette
Sauce crémeuse au concombre

- Faire mariner le saumon au réfrigérateur durant au moins 1 heure dans un mélange composé d'huile, d'aneth et de jus de limette. Égoutter.
- Préparer les charbons pour le gril.
- Placer le saumon sur une grille graissée au-dessus des charbons rougeoyants. Couvrir et griller de 5 à 8 minutes de chaque côté ou jusqu'à ce que le saumon floconne à la fourchette. Servir avec la sauce crémeuse au concombre. Garnir d'un brin d'aneth, au goût.

8 portions

SAUCE CRÉMEUSE AU CONCOMBRE

1 paquet de 8 oz (240 g) de fromage neufchâtel léger de marque PHILADELPHIA, ramolli
3 c. à table (50 ml) de jus de limette
3 c. à table (50 ml) de lait écrémé
2 c. à table (25 ml) d'aneth frais ou 1 c. à thé (5 ml) d'aneth séché
¼ c. à thé (1 ml) de sel
⅛ c. à thé (0,5 ml) de poivre
1 concombre, pelé, épépiné, haché

- Bien mélanger les ingrédients, sauf le concombre, dans un petit bol à la vitesse moyenne d'un batteur électrique. Ajouter le concombre en remuant.

Préparation : 30 minutes, excluant le marinage
Cuisson : 16 minutes

Remarque : Pour une sauce moins épaisse, ajouter 1 ou 2 c. à table (25 ml) de lait écrémé.

La fermeté de la peau des darnes de saumon et d'espadon les rendent idéales pour la cuisson sur le gril. Badigeonner légèrement le poisson et la grille d'huile végétale pour éviter l'adhérence.

POITRINE DE DINDE FARCIE AU PAIN DE MAÏS

Le fromage à la crème «PHILLY» à l'ananas ajoute un léger goût sucré à cette farce savoureuse.

1 demi-poitrine de dinde fraîche LOUIS RICH de 3½ à 4 livres (1,75 à 2 kg)
1 contenant de 8 oz (240 g) de fromage à la crème doux à l'ananas de MARQUE PHILADELPHIA
2 tasses (500 ml) de pain de maïs émietté
1 oeuf battu
½ tasse (125 ml) d'oignon haché
¼ tasse (50 ml) de pacanes hachées, grillées
1½ c. à thé (7 ml) d'assaisonnement à volaille

- Préchauffer le four à 325°F (190°C).
- Rincer la dinde; assécher à la serviette. Dégager la peau à l'aide d'un couteau; tirer la peau vers l'arrière, en la laissant fixée à une extrémité.
- Bien mélanger le reste des ingrédients dans un bol de taille moyenne. Mettre le mélange entre la viande et la peau. Replacer la peau; fixer au moyen de cure-dents. Placer dans un plat à rôtir.
- Cuire de 1 heure à 1 heure 30 minutes ou jusqu'à ce qu'un thermomètre à viande indique 160°F (75°C), en arrosant à l'occasion avec le liquide du plat. Couvrir et laisser reposer 15 minutes avant de trancher. Retirer les cure-dents.

8 portions

Préparation : 15 minutes, excluant l'attente
Cuisson : 1 heure 30 minutes

Saumon grillé à la sauce crémeuse au concombre

POULETS ROCK CORNISH FARCIS ET RÔTIS

4 poulets Rock Cornish de 1 à 1½ livre (500 à 750 g), décongelés
½ tasse (125 ml) de jus d'orange
½ tasse (125 ml) d'huile
1 gousse d'ail hachée
⅛ c. à thé (0,5 ml) de poivre
1⅓ tasse (325 ml) de riz instantané MINUTE RICE, non cuit
1 contenant de 8 oz (240 g) de fromage à la crème doux de MARQUE PHILADELPHIA
¼ tasse (50 ml) de raisins dorés
¼ tasse (50 ml) de persil frais haché
2 c. à table (25 ml) de jus d'orange
1 échalote hachée
1½ c. à thé (7 ml) de zeste d'orange râpé
½ c. à thé (2 ml) de sel
⅛ c. à thé (0,5 ml) de poivre

- Retirer abatis; les mettre de côté ou les conserver pour une autre recette. Rincer les poulets; assécher à la serviette.
- Faire mariner les poulets 30 minutes au réfrigérateur dans un mélange composé de ½ tasse (125 ml) de jus d'orange, d'huile, d'ail et de ⅛ c. à thé (0,5 ml) de poivre, en arrosant à l'occasion.
- Préparer les charbons pour le gril.
- Préparer le riz en suivant les indications de l'emballage.
- Mélanger le riz au reste des ingrédients dans un bol de taille moyenne.
- Retirer les poulets de la marinade. Les farcir du mélange au riz; fermer les ouvertures à l'aide de brochettes.
- Placer une lèchefrite d'aluminium au centre du barbecue, sous la grille. Disposer les charbons autour de la lèchefrite.
- Disposer les poulets, poitrine vers le haut, sur une grille graissée directement au-dessus de la lèchefrite. Couvrir et griller de 1 heure 15 minutes à 1 heure 30 minutes, ou jusqu'à ce que la viande soit tendre. Servir avec des carottes entières cuites, au goût.

4 portions

Préparation : 40 minutes, excluant le marinage
Cuisson : 1 heure 30 minutes

Ces poulets Rock Cornish sont grillés selon la méthode de cuisson indirecte. Cette méthode est typiquement utilisée pour les gros morceaux de viande, car elle permet une cuisson égale sur le gril. Dans cette recette, les charbons sont placés autour d'une plaque en aluminium. La nourriture est ensuite placée au-dessus de la plaque, et non au-dessus des charbons brûlants. La nourriture est toujours cuite à couvert, ce qui entraîne une circulation de la chaleur autour de la nourriture, selon un principe similaire à celui de la cuisinière.

CUISSES DE POULET AU BRANDY ET AUX CHAMPIGNONS

Un plat élégant et facile à préparer... quoi de mieux pour une réception en toute simplicité.

2½ livres (1,25 kg) de cuisses de poulet (8 à 10)
Farine
¼ tasse (50 ml) de margarine PARKAY
2 tasses (500 ml) de tranches de champignons
½ tasse (125 ml) de brandy
1 contenant de 8 oz (240 g) de fromage à la crème doux aux herbes et à l'ail de MARQUE PHILADELPHIA
Sel et poivre

- Enrober légèrement le poulet de farine. Faire dorer le poulet à la margarine dans un grand poêlon; retirer le poulet, en réservant le bouillon gras dans le poêlon.
- Faire revenir les champignons dans le bouillon gras jusqu'à ce qu'ils soient tendres. Ajouter le brandy en remuant. Remettre le poulet dans le poêlon. Couvrir et cuire 30 minutes ou jusqu'à ce que la viande soit tendre. Placer le poulet dans une assiette de service allant au four. Couvrir; garder au chaud.
- Dégraisser le bouillon dans le poêlon; jeter la graisse. Ajouter le fromage à la crème au bouillon réservé; remuer jusqu'à ce que le mélange soit homogène et très chaud. Saler et poivrer au goût. Verser sur le poulet.

4 à 6 portions

Préparation : 50 minutes

Poulets Rock Cornish farcis et rôtis

RÔTI DE PORC AUX FINES HERBES GARNI AUX ABRICOTS

Une farce crémeuse aux abricots procure un goût tout-à-fait spécial à ce rôti savoureux aromatisé de fines herbes variées.

1 rôti de porc désossé (pièce de centre) de 3½ à 4 livres (1,75 à 2 kg)
1 contenant de 8 oz (240 g) de fromage à la crème doux à la ciboulette et à l'oignon de MARQUE PHILADELPHIA
1 tasse (250 ml) d'abricots séchés
1 gousse d'ail hachée
2 c. à thé (10 ml) de feuilles de romarin séchées, broyées
1 c. à thé (5 ml) de feuilles de thym séchées, broyées
¾ c. à thé (3 ml) de poivre
½ c. à thé (2 ml) de sel
1 c. à table (15 ml) d'huile
Sauce au jus

- Préchauffer le four à 325°F (160°C).
- Retirer la ficelle de la viande. Couper une large pochette de 2 ½ po (6 cm) dans la viande.
- Bien mélanger le fromage à la crème et les abricots dans un petit bol; remplir l'intérieur de la viande de ce mélange aux abricots.
- Combiner l'ail et les assaisonnements et en enrober la viande; badigeonner d'huile. Mettre la viande au four dans un plat approprié, côté gras vers le haut.
- Rôtir 1 heure à 1 heure 15 minutes ou jusqu'à ce qu'un thermomètre à viande indique 165°F (75°C). Couvrir et laisser reposer de 10 à 15 minutes avant de trancher. (La température augmentera de 5° à 10°F durant l'attente.) Mettre la viande dans une assiette de service, en réservant ¼ tasse (50 ml) du bouillon de cuisson pour la sauce au jus. Garder la viande au chaud. Servir avec la sauce au jus.

10 à 12 portions

SAUCE AU JUS

¼ tasse (50 ml) du bouillon de cuisson réservé
3 c. à table (50 ml) de farine
Eau froide
¼ c. à thé (1 ml) de sel
⅛ c. à thé (0,5 ml) de poivre

- Verser le bouillon dans une petite casserole. Ajouter la farine en remuant. Cuire à feu doux, en remuant constamment, jusqu'au début de l'ébullition.
- Ajouter graduellement 1 tasse (250 ml) d'eau en remuant; cuire, en remuant constamment, jusqu'à ce que le mélange bouille et épaississe.
- Ajouter de l'eau, 1 c. à table (15 ml) à la fois, pour obtenir la consistance désirée. Saler et poivrer en remuant.

Préparation : 25 minutes, excluant l'attente
Cuisson : 1 heure 30 minutes

Une préparation composée de farine mélangée à une matière grasse avec un fouet, également appelée un roux, constitue l'élément liant de plusieurs sauces. Dans cette recette, la matière grasse provient du bouillon gras de la cuisson, ce qui procure une saveur riche et délicieuse à la sauce. Il est important de cuire le roux de façon douce et uniforme, en fouettant constamment, pour éviter que la sauce n'ait un goût de brûlé.

Rôti de porc aux fines herbes garni aux abricots

PÂTES À LA SAUCE AU FROMAGE BLEU

Une recette élégante et vite cuisinée composée de restes de jambon.

1 tasse (250 ml) de poireaux grossièrement hachés
$\frac{1}{4}$ tasse (50 ml) de pacanes grossièrement hachées
2 c. à table (25 ml) de margarine PARKAY
1$\frac{1}{2}$ tasse (375 ml) de lanières de jambon
$\frac{1}{4}$ tasse (50 ml) de vin de madère ou de bouillon de poulet
1 gousse d'ail hachée
1 contenant de 8 oz (240 g) de fromage à la crème doux de MARQUE PHILADELPHIA
2 c. à table (25 ml) de lait
$\frac{1}{2}$ tasse ou 2 oz (125 ml ou 60 g) de fromage bleu KRAFT, émietté
8 oz (240 g) de fettuccini, cuits, égouttés

- Faire revenir les poireaux et les pacanes à la margarine dans un poêlon de taille moyenne jusqu'à ce que les poireaux soient tendres. Ajouter le jambon; bien chauffer.
- Cuire le vin et l'ail dans une casserole de taille moyenne durant 1 minute à feu doux. Incorporer le fromage à la crème et le lait; remuer jusqu'à l'obtention d'une consistance homogène. Retirer du feu; ajouter le fromage bleu en remuant.
- Combiner les ingrédients en les agitant. Servir immédiatement.

4 portions

Préparation : 15 minutes
Cuisson : 15 minutes

Variante : Remplacer les lanières de jambon par des tranches de jambon fumé OSCAR MAYER coupées en lanières.

MICRO-ONDES : • Placer les poireaux, les pacanes et la margarine dans une cocotte de 1 litre; couvrir. • Cuire à HAUTE INTENSITÉ de 3 à 5 minutes, en remuant après 2 minutes. Ajouter le jambon en remuant. • Cuire à HAUTE INTENSITÉ 2 ou 3 minutes ou jusqu'à ce que la préparation soit bien cuite. • Combiner le vin et l'ail dans un bol de 1 litre et cuire à HAUTE INTENSITÉ 1 ou 2 minutes ou jusqu'à ce que la préparation soit chaude. Ajouter le fromage à la crème et le lait. • Cuire à HAUTE INTENSITÉ 2 ou 3 minutes ou jusqu'à l'obtention d'une consistance homogène, en remuant à chaque minute. Ajouter le fromage bleu en remuant. Combiner tous les ingrédients en les agitant. Servir immédiatement.

Cuisson au micro-ondes : 13 minutes

◆◆◆

Les poireaux font partie de la famille des oignons. Rechercher les poireaux d'un diamètre de 1 à 1 $\frac{1}{2}$ po (2,5 ou 3 cm). La base blanche des feuilles constitue la partie comestible du poireau. Avant de hacher, couper les extrémités de la racine et ne conserver que 2 po (5 cm) des extrémités vertes. Bien laver pour enlever le sable.

Pâtes à la sauce au fromage bleu

FILET DE PORC GRILLÉ À LA SALSA

Les poivrons de Jalapeño marinés sont vendus dans la plupart des magasins d'alimentation. On peut toutefois les remplacer par des poivrons de Jalapeño frais.

3 filets de porc de 2 à 2½ livres (1 à 1,25 kg)
1 boîte de 14½ oz (440 g) de tomates entières pelées, dans leur jus, grossièrement hachées
1 petit oignon haché
3 oignons verts finement tranchés
1 poivron de Jalapeño mariné, haché
¼ tasse (50 ml) de persil italien frais haché
¼ tasse (50 ml) d'huile
2 c. à table (25 ml) de jus de limette
1 gousse d'ail hachée
½ c. à thé (2 ml) de poivre noir
¼ c. à thé (1 ml) de sel
1 paquet de 8 oz (240 g) de fromage neufchâtel léger de MARQUE PHILADELPHIA, en cubes

- Préparer les charbons pour le gril.
- Faire mariner la viande 30 minutes au réfrigérateur dans une préparation composée de tous les ingrédients sauf le fromage neufchâtel, en retournant la viande à l'occasion. Égoutter, en réservant la marinade pour la sauce.
- Placer la viande sur une grille graissée au-dessus des charbons légèrement rougeoyants. Couvrir et griller de 45 à 55 minutes ou jusqu'à ce que la température de la viande atteigne 170°F (80°C), en retournant la viande à l'occasion.
- Porter la marinade réservée à ébullition dans une petite casserole; réduire à feu doux. Ajouter le fromage neufchâtel; le fondre en remuant. Servir sur la viande. *8 portions*

Préparation : 30 minutes, excluant le marinage
Cuisson : 55 minutes

Pour obtenir une saveur fumée, ajouter des copeaux de bois dur au feu de charbons. Il existe plusieurs variétés de copeaux de bois, comme le cerisier, l'hickory, le pommier, le chêne, le pacanier et le prosopis. Parmi ces derniers, c'est le prosopis qui produit la saveur fumée la plus intense. Éviter d'utiliser des bois mous tels que le pin, car ils produisent une saveur résineuse nauséabonde.

ESPADON À LA CRÈME DE POIREAU

Servez cette entrée avec des haricots verts frais et une salade lors d'un repas spécial préparé en un tournemain.

4 darnes d'espadon de 1 à 1½ livre (500 à 750 g) au total
2 c. à table (25 ml) d'huile d'olive
Crème de poireau

- Préparer les charbons pour le gril.
- Badigeonner le poisson à l'huile.
- Placer le poisson sur une grille graissée au-dessus des charbons rougeoyants. Griller, sans couvrir, 3 ou 4 minutes de chaque côté ou jusqu'à ce que le poisson floconne à la fourchette. Servir avec la crème de poireaux.

4 portions

CRÈME DE POIREAU

1 poireau, coupé en lanières de 1 po (2,5 cm)
2 c. à table (25 ml) de margarine PARKAY
1 paquet de 3 oz (90 g) de fromage à la crème de MARQUE PHILADELPHIA, en cubes
3 c. à table (50 ml) de vin blanc sec
2 c. à table (25 ml) de persil frais haché
½ c. à thé (2 ml) de sel d'ail
¼ c. à thé (1 ml) de poivre

- Faire revenir le poireau à la margarine dans un poêlon de taille moyenne jusqu'à ce qu'il soit tendre. Incorporer le reste des ingrédients; remuer à feu doux jusqu'à ce que le fromage à la crème soit fondu.

Préparation : 15 minutes
Cuisson : 8 minutes

Espadon à la crème de poireau

TARTE SENSATIONNELLE AUX ÉPINARDS

1 livre (500 g) de saucisses italiennes, dépouillées de leur enveloppe, cuites, émiettées
1 contenant de 15 oz (450 g) de fromage ricotta
1 paquet de 10 oz (300 g) d'épinards hachés BIRDS EYE, décongelés, bien égouttés
1 contenant de 8 oz (240 g) de fromage à la crème doux aux herbes et à l'ail de MARQUE PHILADELPHIA
1 tasse ou 4 oz (250 ml ou 120 g) de fromage mozzarella partiellement écrémé à teneur réduite en humidité, en grains KRAFT
2 oeufs battus
½ c. à thé (2 ml) de sauce piquante au poivre
1 paquet de 15 oz (450 g) de croûtes à tarte réfrigérées (2 croûtes)
1 oeuf battu

- Préchauffer le four à 400°F (200°C).
- Bien mélanger les saucisses, le fromage ricotta, les épinards, le fromage à la crème, le fromage mozzarella, deux oeufs et la sauce piquante au poivre dans un grand bol.
- Sur une surface légèrement farineuse, rouler l'une des pâtes à tarte pour former un cercle de 12 po (30 cm).
- Foncer un moule à tarte de 10 po (25 cm); remplir du mélange à la saucisse.
- Rouler l'autre pâte à tarte de la même façon; y découper des motifs, au goût. Placer la pâte sur la garniture. Sceller et strier les bords de la tarte. Décorer avec de la pâte supplémentaire; tailler des motifs, au goût. Badigeonner de l'oeuf qui reste.
- Cuire de 35 à 40 minutes ou jusqu'à ce que la pâte soit dorée. Servir assez chaud ou à la température de la pièce.

10 portions

Préparation : 20 minutes
Cuisson : 40 minutes

DINDE RÔTIE À LA SAUCE AU PESTO ET AUX NOIX

1 poitrine de dinde de 4 à 5½ livres (2 à 2,75 kg)
Sauce au pesto et aux noix

- Préparer les charbons pour le gril.
- Placer une lèchefrite en aluminium au centre du barbecue, sous la grille. Disposer les charbons chaud autour de la lèchefrite.
- Placer la dinde sur une grille graissée au-dessus des charbons rougeoyants. Couvrir et griller de 1 heure 30 minutes à 2 heures ou jusqu'à ce que la température interne de la viande atteigne 170°F (80°C).
- Trancher la dinde; servir avec la sauce au pesto et aux noix. Garnir de tomates poires rouges ou jaunes ainsi que de ciboulette et de feuilles de basilic fraîches, au goût.

12 portions

SAUCE AU PESTO ET AUX NOIX

1 contenant de 8 oz (240 g) de produit de fromage à la crème fondu pasteurisé léger de MARQUE PHILADELPHIA
1 contenant de 7 oz (210 g) de pesto préparé réfrigéré
½ tasse (125 ml) de noix finement hachées, grillées (se référer à la page 82)
⅓ tasse (75 ml) de lait
1 gousse d'ail hachée
⅛ c. à thé (0,5 ml) de poivre de Cayenne

- Bien mélanger les ingrédients dans un petit bol. Servir froid ou à la température de la pièce.

Préparation : 15 minutes
Cuisson : 2 heures

Pour une belle présentation, placer les feuilles de basilic fraîches entre la peau et la viande de la dinde, de chaque côté de la poitrine. Soulever délicatement la peau avec les doigts, en commençant par l'extrémité en forme de «V». (Éviter de piquer la peau.) Remettre la peau dans sa position originale. Badigeonner légèrement la surface à l'huile végétale.

Dinde rôtie à la sauce au pesto et aux noix

CARRÉS AU BEURRE D'ARACHIDE ET AU CHOCOLAT

1 1/2 tasse (375 ml) de miettes de biscuits graham garnis de chocolat (environ 17 biscuits)
3 c. à table (50 ml) de margarine PARKAY, fondue
1 paquet de 8 oz (240 g) de fromage à la crème de MARQUE PHILADELPHIA, ramolli
1/2 tasse (125 ml) de beurre d'arachides croquant
1 tasse (250 ml) de sucre à glacer
1/4 tasse (50 ml) de brisures de vrai chocolat mi-sucré BAKER'S
1 c. à thé (5 ml) de graisse végétale

- Préchauffer le four à 350°F (180°C).
- Mélanger les biscuits et la margarine dans un petit bol. Foncer de ce mélange un plat carré de 9 po (22 cm) allant au four, en comprimant. Cuire 10 minutes. Refroidir.
- Bien mélanger le fromage à la crème, le beurre d'arachides et le sucre dans un petit bol à la vitesse moyenne d'un batteur électrique. Répandre sur l'abaisse.
- Fondre les brisures de chocolat avec la graisse végétale dans une petite casserole à feu doux, en remuant jusqu'à l'obtention d'une consistance homogène. En décorer le mélange au fromage à la crème. Réfrigérer 6 heures ou durant la nuit. Couper en carrés.

Environ 1 douzaine

Préparation : 20 minutes, excluant la réfrigération
Cuisson : 10 minutes

Suggestion pour le micro-ondes : Cuire les brisures de chocolat et la graisse végétale dans un petit bol à HAUTE INTENSITÉ 1 ou 2 minutes ou jusqu'à ce que le chocolat commence à fondre, en remuant à chaque minute. Remuer jusqu'à ce que le chocolat soit complètement fondu.

TARTE AUX FRUITS PRINTANIÈRE

1 tasse (250 ml) de farine
1/4 tasse (50 ml) de cassonade tassée
1/2 tasse (125 ml) de margarine PARKAY
1 paquet de 8 oz (240 g) de fromage à la crème de MARQUE PHILADELPHIA, ramolli
1/4 tasse (50 ml) de sucre semoule
1 c. à table (15 ml) de zeste d'orange râpé
3/4 tasse (175 ml) de crème fraîche, fouettée
Tranches de kiwi pelé
Moitiés de fraises

- Préchauffer le four à 350°F (180°C).
- Remuer la farine et la cassonade dans un bol de taille moyenne. Y couper la margarine jusqu'à ce que la préparation forme une chapelure grossière; pétrir pour bien mélanger. Foncer de ce mélange, jusqu'à une hauteur de 1/2 po (1 cm) des bords, un moule à tarte de 10 po (25 cm) à fond amovible.
- Cuire 15 minutes ou jusqu'à ce que la croûte soit dorée. Refroidir.
- Bien mélanger le fromage à la crème, le sucre semoule et le zeste dans un grand bol à la vitesse moyenne d'un batteur électrique. Retourner la crème fouettée dans le mélange; verser dans l'abaisse. Réfrigérer jusqu'à ce que la consistance soit ferme.
- Disposer les fruits sur la tarte au moment de servir. Retirer le bord du moule avec soin.

10 à 12 portions

Préparation : 30 minutes, excluant la réfrigération

Suggestion : Lors de la préparation de l'abaisse, tremper le bout des doigts dans l'eau froide avant de foncer le moule de la pâte.

Tarte aux fruits printanière

PERLES D'ORANGE SUR COQUILLE AU CHOCOLAT

On peut préparer les coquilles en chocolat à l'avance et les conserver jusqu'à une semaine en les enveloppant bien. Le mélange crémeux à l'orange peut être préparé la veille. Alors respirez... et savourez les compliments!

1 paquet de 12 oz (360 g) de brisures de vrai chocolat mi-sucré BAKER'S
1 c. à table (15 ml) de graisse végétale
1 enveloppe de gélatine sans saveur
½ tasse (125 ml) d'eau froide
1 paquet de 8 oz (240 g) de produit de fromage à la crème fondu pasteurisé léger de MARQUE PHILADELPHIA
¼ tasse (50 ml) de sucre ou 6 sachets de substitut
½ tasse (125 ml) de jus d'orange
1 c. à thé (5 ml) de zeste d'orange râpé
2 tasses (500 ml) de garniture fouettée COOL WHIP décongelée

- Recouvrir de papier d'aluminium l'extérieur de 12 coquilles de mer, en lissant le papier.
- Fondre les brisures de chocolat avec la graisse végétale dans une petite casserole à feu doux, en remuant jusqu'à l'obtention d'une consistance homogène.
- Étaler une fine couche de mélange au chocolat sur chaque coquille recouverte d'aluminium à l'aide d'une brosse ou d'une petite spatule de caoutchouc. Réfrigérer 10 minutes, en tenant au chaud le reste du mélange. Appliquer une seconde couche de chocolat. Réfrigérer jusqu'à ce que le chocolat soit ferme.
- Séparer le papier d'aluminium des coquilles de mer; retirer avec soin le papier d'aluminium du chocolat. Couvrir les coquilles de chocolat; réfrigérer jusqu'au moment de servir.
- Dans une petite casserole, diluer la gélatine dans l'eau; remuer à feu doux jusqu'à dissolution complète.
- Bien mélanger le produit de fromage à la crème et le sucre dans un grand bol à la vitesse moyenne d'un batteur électrique. Ajouter la gélatine ainsi que le jus et le zeste d'orange en remuant. Réfrigérer jusqu'à ce que le mélange épaississe, sans tout-à-fait prendre.
- Battre le mélange au fromage à la crème jusqu'à ce qu'il soit léger et bouffant; retourner la garniture fouettée dans le mélange.
- Verser à la cuiller environ ⅓ tasse (75 ml) de mélange au fromage à la crème dans chaque coquille en chocolat. Garnir d'une dentelle de chocolat, de segments d'orange et de feuilles de menthe fraîche, au goût.

12 portions

Préparation : 1 heure, excluant la réfrigération

Variante : Remplacer les coquilles de mer par douze moules à muffins recouverts de papier ciré.

Si les coquilles en chocolat se fendillent, badigeonner la fissure de chocolat fondu. Réfrigérer pour raffermir.

Pour créer une garniture décorative en chocolat, fondre 2 carrés de 1 oz (30 g) de chocolat mi-sucré BAKER'S avec 1½ c. à thé (7 ml) de graisse végétale dans une petite casserole à feu doux, en remuant constamment jusqu'à ce que la consistance soit homogène. Refroidir quelque peu. Verser le mélange au chocolat dans un petite bouteille comprimable ou dans un tube pâtissier muni d'une petite douille pour l'écriture. Créer le motif sur des plaques à biscuits recouvertes de papier ciré. Réfrigérer pour raffermir. Séparer avec soin le papier ciré des motifs en chocolat.

Perles d'orange sur coquille au chocolat

TARTE CHOCOLATÉE AUX POIRES ET AUX NOISETTES

Impressionnez vos amis et votre famille avec cette tarte d'allure européenne.

2/3 tasse (150 ml) de farine
2 c. à table (25 ml) de sucre
1/3 tasse (75 ml) de margarine PARKAY
1/2 tasse (125 ml) de noisettes grillées, dépouillées de leur peau, finement hachées
1 paquet de 8 oz (240 g) de fromage à la crème PHILADELPHIA, ramolli
1/4 tasse (50 ml) de sucre
3 carrés de 1 oz (30 g) de chocolat mi-sucré BAKER'S, fondu, refroidi
1 oeuf
1 boîte de 16 oz (480 g) de moitiés de poires, bien égouttées
1/4 tasse (50 ml) de noisettes grillées, dépouillées de leur peau, grossièrement hachées
1 carré de 1 oz (30 g) de chocolat mi-sucré BAKER'S
1 c. à table (15 ml) de margarine PARKAY

- Préchauffer le four à 375°F (190°C).
- Mélanger la farine et 2 c. à table (25 ml) de sucre dans un bol de taille moyenne; couper 1/3 tasse (75 ml) de margarine dans le mélange jusqu'à ce qu'il forme une chapelure grossière. Ajouter 1/2 tasse (125 ml) de noisettes finement hachées en remuant. Foncer de ce mélange un moule à charnière de 9 po (22 cm). Cuire 10 minutes. Refroidir.
- Bien mélanger le fromage à la crème et 1/4 tasse (50 ml) de sucre dans un petit bol à la vitesse moyenne d'un batteur électrique. Ajouter trois carrés de chocolat fondu et l'oeuf; bien mélanger. Étaler uniformément sur l'abaisse.
- Disposer les moitiés de poires, côté coupé en dessous, sur la couche de fromage à la crème. Parsemer de 1/4 tasse (50 ml) de noisettes grossièrement hachées.
- Cuire 25 minutes. Refroidir. Réfrigérer.
- Retirer le bord du moule avec soin au moment de servir. Fondre un carré de chocolat avec 1 c. à table (15 ml) de margarine dans une petite casserole à feu doux, en remuant jusqu'à l'obtention d'une consistance homogène. En décorer la tarte. Garnir au goût.

10 à 12 portions

Préparation : 25 minutes, excluant la réfrigération
Cuisson : 25 minutes

Pour griller et peler les noisettes, les étaler en une seule couche dans un plat étroit allant au four. Cuire à 350°F (180°C) de 10 à 15 minutes ou jusqu'à ce qu'elles soient bien dorées. Frotter les noisettes avec une serviette de tissu afin de les dépouiller de leur peau.

TARTELETTES AUX FRAISES

Il est préférable de consommer ces friandises savoureuses le jour même.

1 paquet de 20 oz (600 g) de pâte à biscuits au sucre réfrigérée
2 contenants de 8 oz (240 g) de fromage à la crème doux aux fraises de MARQUE PHILADELPHIA
1/4 tasse (50 ml) de sucre à glacer
1/4 tasse (50 ml) de brisures de vrai chocolat mi-sucré BAKER'S
1 c. à thé (5 ml) de graisse végétale

- Préchauffer le four à 325°F (160°C).
- Découper la pâte à biscuits en 36 tranches de 1/4 po (6 mm). Foncer de ces tranches, à une hauteur de 1/4 po (6 mm) des bords, un moule à muffins de taille moyenne bien graissé.
- Cuire de 12 à 15 minutes ou jusqu'à ce que les bords soient dorés. Refroidir 5 minutes; démouler. Refroidir complètement.
- Bien mélanger le fromage à la crème et le sucre dans un bol de taille moyenne. Verser à la cuiller dans les tartelettes.
- Fondre les brisures de chocolat avec la graisse végétale dans une petite casserole à feu doux, en remuant jusqu'à l'obtention d'une consistance homogène. En décorer les tartelettes.

3 douzaines

Préparation : 25 minutes
Cuisson : 15 minutes

Variante : Verser à la cuiller la préparation au fromage à la crème dans un sac pâtissier muni d'une douille en forme d'étoile. Remplir les tartelettes.

Tarte chocolatée aux poires et aux noisettes

ROULÉ DE GÂTEAU AU FROMAGE AU GINGEMBRE

Une méthode de préparation «en un moule»!

1 contenant de 8 oz (240 g) de fromage à la crème doux de MARQUE PHILADELPHIA
1/2 tasse (125 ml) de sucre semoule
2 c. à table (25 ml) de lait
5 oeufs
1/3 tasse (75 ml) de mélasse légère
1/4 tasse (50 ml) de sucre semoule
3/4 tasse (175 ml) de farine
1 c. à thé (5 ml) de levure chimique CALUMET
1/2 c. à thé (2 ml) de gingembre moulu
1/4 c. à thé (1 ml) de sel
Sucre à glacer

- Préchauffer le four à 375°F (190°C).
- Graisser un moule à gâteau roulé de 15 x 10 x 1 po (38 x 25 x 2,5 cm). Recouvrir de papier ciré; graisser le papier.
- Bien mélanger le fromage à la crème, 1/2 tasse (125 ml) de sucre semoule et le lait dans un petit bol à la vitesse moyenne d'un batteur électrique. Ajouter deux oeufs, un à la fois, en mélangeant bien après chaque addition. Verser dans le moule préparé.
- Battre trois oeufs dans un grand bol à la vitesse élevée d'un batteur électrique durant 5 minutes ou jusqu'à ce qu'ils soient épais et de couleur citronnée. Ajouter graduellement la mélasse et 1/4 tasse (50 ml) de sucre semoule; bien mélanger. Réunir la farine, la levure chimique, le gingembre et le sel et retourner dans le mélange à la mélasse. Verser sur le mélange au fromage à la crème.
- Cuire 15 minutes. Dégagez immédiatement les bords du moule; renverser sur une serviette recouverte de sucre à glacer.
- Retirer avec soin le papier ciré. Rouler le gâteau avec la serviette, en commençant par l'extrémité étroite; refroidir sur une grille.
- Dérouler; retirer la serviette. Rouler de nouveau. Saupoudrer de sucre à glacer, au goût.

10 portions

Préparation : 20 minutes, excluant le refroidissement
Cuisson : 15 minutes

TABLETTES CITRONNÉES À LA NOISETTE

1 1/3 tasse (325 ml) de farine
1/2 tasse (125 ml) de cassonade tassée
1/4 tasse (50 ml) de sucre semoule
3/4 tasse (175 ml) de margarine PARKAY
1 tasse (250 ml) de gruau instantané ou à l'ancienne, non cuit
1/2 tasse (125 ml) de noix hachées
1 paquet de 8 oz (240 g) de fromage à la crème de MARQUE PHILADELPHIA, ramolli
1 oeuf
3 c. à table (50 ml) de jus de citron
1 c. à table (15 ml) de zeste de citron râpé

- Préchauffer le four à 350°F (180°C).
- Mélanger la farine et les sucres dans un bol de taille moyenne. Y couper la margarine jusqu'à ce que le mélange forme une chapelure grossière. Ajouter le gruau et les noix en remuant.
- Réserver 1 tasse (250 ml) de ce mélange; foncer du reste du mélange un plat graissé de 13 x 9 po (33 x 22 cm) allant au four. Cuire 15 minutes.
- Bien mélanger le fromage à la crème, l'oeuf ainsi que le jus et le zeste de citron dans un petit bol à la vitesse moyenne d'un batteur électrique. Verser sur l'abaisse; parsemer du reste du mélange aux sucres.
- Cuire 25 minutes. Refroidir; couper en tablettes.

Environ 3 douzaines

Préparation : 30 minutes
Cuisson : 25 minutes

Tablettes citronnées aux noix

TARTE AUX FRUITS

Vite cuisinée et facile à préparer, cette tarte aux fruits est composée d'ingrédients qu'on a toujours sous la main et peut être cuite dans un poêlon.

1 boîte de 21 oz (630 g) de garniture de tarte à la cerise
1 boîte de 17 oz (510 g) de macédoine de fruits dans leur jus
1/4 c. à thé (1 ml) d'extrait d'amandes
1 paquet de 3 oz (90 g) de fromage à la crème PHILADELPHIA, ramolli
1/2 tasse (125 ml) de sucre
1/3 tasse (75 ml) de margarine PARKAY, fondue
2 tasses (500 ml) de préparation tout-usage pour pâtisserie
1 c. à table (15 ml) de sucre
1/2 c. à thé (2 ml) de cannelle moulue
Fromage à la crème et au miel

- Préchauffer le four à 375°F (190°C).
- Mélanger la garniture de tarte, la macédoine de fruits et l'extrait d'amandes; verser dans une cocotte de 2 litres ou dans un poêlon en fonte de 10 po (25 cm).
- Bien mélanger le fromage à la crème et 1/2 tasse (125 ml) de sucre; ajouter graduellement la margarine en remuant. Ajouter la préparation pour pâtisserie en remuant.
- Émietter le mélange au fromage à la crème sur le mélange aux fruits. Saupoudrer de cannelle et de 1 c. à table (15 ml) de sucre.
- Cuire de 35 à 40 minutes ou jusqu'à ce que la tarte soit dorée. Servir assez chaud avec le fromage à la crème et au miel.

8 à 10 portions

FROMAGE À LA CRÈME ET AU MIEL

1 paquet de 8 oz (240 g) de fromage à la crème PHILADELPHIA, ramolli
2 c. à table (25 ml) de miel
1 c. à table (15 ml) de rhum ou de jus d'orange
1/4 c. à thé (1 ml) de muscade moulue

- Bien mélanger les ingrédients.

Préparation : 15 minutes
Cuisson : 40 minutes

TARTE À LA CRÈME ET AUX POMMES

Le fromage à la crème «PHILLY» ajoute une couche riche et crémeuse à cette tarte aux pommes.

1/2 paquet de 15 oz (450 g) de croûte à tarte réfrigérées (1 croûte)
1 paquet de 8 oz (240 g) de fromage à la crème de MARQUE PHILADELPHIA, ramolli
1/3 tasse (75 ml) de sucre
1 c. à thé (5 ml) de vanille
1 oeuf
2/3 tasse (150 ml) de crème aigre BREAKSTONE'S
3 pommes tranchées
1/2 tasse (125 ml) de farine
1/4 tasse (50 ml) de sucre
1 c. à thé (5 ml) de cannelle moulue
1/3 tasse (75 ml) de margarine PARKAY
1/2 tasse (125 ml) de pacanes hachées

- Préchauffer le four à 350°F (180°C).
- Sur une surface légèrement farineuse, rouler la pâte pour former un cercle de 12 po (30 cm). Foncer un plat à quiche de 10 po (25 cm) ou un moule à tarte à fond amovible. Tailler les bords de la pâte à égalité avec le bord supérieur du plat. Piquer le fond et les côtés de la pâte à l'aide d'une fourchette. Cuire 15 minutes.
- Bien mélanger le fromage à la crème, 1/3 tasse (75 ml) de sucre et la vanille dans un grand bol à la vitesse moyenne d'un batteur électrique. Incorporer l'oeuf; bien mélanger. Ajouter la crème aigre en mélangeant. Verser dans l'abaisse. Garnir de pommes.
- Mélanger la farine, 1/4 tasse (50 ml) de sucre et la cannelle dans un bol de taille moyenne; y couper la margarine jusqu'à ce que le mélange forme une chapelure grossière. Ajouter les pacanes en remuant; parsemer sur les pommes.
- Cuire 50 minutes. Refroidir. Garnir de bâtonnets de cannelle réunis par une pelure d'orange, au goût.

12 portions

Préparation : 30 minutes
Cuisson : 50 minutes

Tarte à la crème et aux pommes

TARTE GRECQUE AU MIEL ET À LA CRÈME

Un dessert pour les amateurs de noix.

1/4 tasse (50 ml) d'amandes blanchies grossièrement hachées
1/4 tasse (50 ml) de noix de cajou salées, grossièrement hachées
1/4 tasse (50 ml) de pistaches grossièrement hachées
1/4 tasse (50 ml) de miel
1 paquet de 8 oz (240 g) de fromage à la crème de MARQUE PHILADELPHIA, ramolli
1 tasse (250 ml) de garniture fouettée COOL WHIP, décongelée
1 quatre-quarts de 10 3/4 oz (325 g), décongelé
Glaçage au café

- Préchauffer le four à 325°F (160°C).
- Placer les noix dans un plat étroit allant au four. Cuire 10 minutes ou jusqu'à ce qu'elles soient légèrement grillées, en remuant à l'occasion. Refroidir complètement.
- Battre le miel dans un petit bol à la vitesse élevée d'un batteur électrique durant 2 minutes ou jusqu'à ce qu'il soit épaissi. Ajouter le fromage à la crème; bien mélanger à la vitesse moyenne du batteur.
- Retourner la garniture fouettée et les noix dans le mélange au fromage à la crème.
- Couper le gâteau en trois tranches horizontales. Tartiner les deux tranches inférieures du mélange au fromage à la crème; reconstituer le gâteau. Garnir du glaçage au café. Réfrigérer.

12 portions

GLAÇAGE AU CAFÉ

4 oz (120 g) de fromage à la crème de MARQUE PHILADELPHIA, ramolli
2 c. à table (25 ml) de margarine PARKAY
2 1/4 tasse (550 ml) de sucre à glacer
1 c. à thé (5 ml) de grains de café instantané MAXWELL HOUSE

- Bien mélanger le fromage à la crème et la margarine dans un petit bol à la vitesse moyenne d'un batteur électrique.
- Ajouter graduellement le sucre en mélangeant bien. Ajouter les granules de café. Bien mélanger.

Préparation : 20 minutes, excluant la réfrigération
Cuisson : 10 minutes

PIZZA CHOCOLATÉE AUX FRUITS

Une pizza aux fruits frais avec une croûte au chocolat : un succès garanti.

1/3 tasse (75 ml) d'eau froide
1 paquet de 15 oz (450 g) de préparation pour carrés au chocolat
1/4 tasse (50 ml) d'huile
1 oeuf
1 paquet de 8 oz (240 g) de fromage à la crème de MARQUE PHILADELPHIA, ramolli
1/4 tasse (50 ml) de sucre
1 oeuf
1 c. à thé (5 ml) de vanille
Tranches de fraises
Tranches de bananes
2 carrés de 1 oz (30 g) de chocolat mi-sucré BAKER'S, fondus

- Préchauffer le four à 350°F (180°C).
- Porter l'eau à ébullition.
- Bien mélanger la préparation pour carrés au chocolat, l'eau, l'huile et un oeuf dans un grand bol.
- Étaler sur une plaque à pizza graissée et farineuse de 12 po (30 cm).
- Cuire 25 minutes.
- Bien mélanger le fromage à la crème, le sucre, l'autre oeuf et la vanille dans un petit bol à la vitesse moyenne d'un batteur électrique. Étaler sur l'abaisse.
- Poursuivre la cuisson durant 15 minutes. Refroidir. Garnir de fruits; décorer de chocolat et de feuilles de menthe, au goût.

10 à 12 portions

Préparation : 35 minutes
Cuisson : 40 minutes

Suggestion pour micro-ondes : Pour fondre le chocolat, mettre les carrés de chocolat dans un petit bol. Cuire à HAUTE INTENSITÉ 1 ou 2 minutes ou jusqu'à ce que les chocolats soient presque fondus. Remuer jusqu'à ce qu'ils fondent complètement.

Pizza chocolatée aux fruits

MOUSSE BLANCHE À LA SAUCE AUX FRAMBOISES

Ce dessert est particulièrement élégant lorsqu'il est présenté en portions individuelles moulées.

½ tasse (125 ml) de lait
1 tasse ou 8 oz (250 ml ou 240 g) de glaçage à la vanille tartinable
1 enveloppe de gélatine sans saveur
¼ tasse (50 ml) de lait
1 contenant de 12 oz (360 g) de fromage à la crème doux de MARQUE PHILADELPHIA
2 c. à thé (10 ml) de vanille
2 blancs d'oeufs à la température de la pièce
¼ c. à thé (1 ml) de sel
½ tasse (125 ml) de crème fraîche à fouetter
Sauce aux framboises

- Mélanger ½ tasse (125 ml) de lait et le glaçage dans une casserole de taille moyenne à feu doux, en remuant constamment. Retirer du feu.
- Dans une petite casserole, diluer la gélatine dans ¼ tasse (50 ml) de lait; remuer à feu doux jusqu'à dissolution complète. Ajouter au mélange au glaçage; refroidir.
- Bien mélanger le fromage à la crème et la vanille dans un grand bol à la vitesse moyenne d'un batteur électrique. Incorporer le glaçage.
- Battre les blancs d'oeufs et le sel dans un petit bol à la vitesse élevée d'un batteur électrique jusqu'à ce que la préparation forme des pointes. Dans un autre bol, battre la crème fraîche de la même façon.
- Retourner les oeufs et la crème fouettée dans le mélange au fromage à la crème.
- Verser dans un moule légèrement huilé de 1½ à 2 litres; réfrigérer jusqu'à l'obtention d'une consistance ferme. Démouler; servir avec la sauce aux framboises.

14 à 16 portions

SAUCE AUX FRAMBOISES

1 paquet de 10 oz (300 g) de framboises BIRDS EYE dans un sirop léger, décongelées
½ tasse (125 ml) de gelée rouge KRAFT
4 c. à thé (20 ml) de farine de maïs

- Bien mélanger les framboises et la gelée au robot culinaire ou au mélangeur. Égoutter.
- Remuer la farine de maïs et la préparation aux framboises dans une petite casserole jusqu'à l'obtention d'une consistance homogène.
- Porter à ébullition à feu moyen, en remuant constamment. Cuire jusqu'à ce que la préparation épaississe, en remuant constamment. Refroidir.

Préparation : 25 minutes, excluant la réfrigération
Cuisson : 10 minutes

Suggestion pour micro-ondes : Pour dissoudre la gélatine, la diluer dans du lait. Cuire à HAUTE INTENSITÉ de 30 à 45 secondes ou jusqu'à dissolution complète, en remuant aux 15 secondes.

TABLETTES SABLÉES AUX NOIX

1 paquet de 8 oz (240 g) de fromage à la crème de MARQUE PHILADELPHIA, ramolli
1 tasse (250 ml) de margarine PARKAY
¾ tasse (175 ml) de sucre semoule
¾ tasse (175 ml) de cassonade tassée
1 oeuf
1 c. à thé (5 ml) de vanille
2½ tasses (625 ml) de farine
1 c. à thé (5 ml) de levure chimique CALUMET
½ c. à thé (2 ml) de sel
¾ tasse (175 ml) de noix hachées

- Préchauffer le four à 350°F (180°C).
- Bien mélanger le fromage à la crème, la margarine et les sucres dans un grand bol à la vitesse moyenne d'un batteur électrique. Incorporer l'oeuf et la vanille.
- Incorporer les ingrédients secs combinés; bien mélanger. Ajouter les noix en mélangeant. Foncer un moule à gâteau roulé de 15 x 10 x 1 po (38 x 25 x 2,5 cm).
- Cuire de 20 à 25 minutes ou jusqu'à ce la préparation soit légèrement dorée. Refroidir. Saupoudrer de sucre à glacer au moment de servir, au goût. Couper en tablettes.

Environ 5 douzaines

Préparation : 15 minutes
Cuisson : 25 minutes

Mousse blanche à la sauce aux framboises

CROUSTILLANT CRÉMEUX AUX BLEUETS ET AUX POIRES

Le parfait dessert à servir à un groupe.

2 tasses (500 ml) de gruau vite préparé ou à l'ancienne, non cuit
1 tasse (250 ml) de farine
1/3 tasse (75 ml) de sucre semoule
1/3 tasse (75 ml) de cassonade tassée
1/2 tasse (125 ml) de margarine PARKAY, fondue
2 contenants de 8 oz (240 g) de produit de fromage à la crème fondu pasteurisé léger de MARQUE PHILADELPHIA
1/2 tasse (125 ml) de sucre semoule
2 oeufs
2 c. à table (25 ml) de jus de citron
1 c. à table (15 ml) de zeste de citron râpé
2 poires, pelées, dénoyautées, coupées en deux
1 demi-litre de bleuets

- Préchauffer le four à 325°F (160°C).
- Bien mélanger le gruau, la farine, 1/3 tasse (75 ml) de sucre semoule et la cassonade dans un bol de taille moyenne. Ajouter la margarine en remuant.
- Réserver 1 tasse (250 ml) de ce mélange pour la garniture. Foncer du reste du mélange un plat de 13 x 9 po (33 x 22 cm) allant au four, en comprimant. Cuire 10 minutes.
- Bien mélanger le produit de fromage à la crème et 1/2 tasse (125 ml) de sucre semoule dans un grand bol à la vitesse moyenne d'un batteur électrique. Ajouter les oeufs, un à la fois, en mélangeant bien après chaque addition. Ajouter le jus et le zeste de citron en mélangeant; verser sur l'abaisse.
- Disposer les poires sur le mélange au fromage à la crème; garnir de bleuets. Recouvrir les fruits du mélange au gruau réservé.
- Cuire 45 minutes. Servir chaud avec de la crème glacée à la vanille, au goût.

16 portions

Préparation : 20 minutes
Cuisson : 45 minutes

GÂTEAU À L'ORANGE ET AUX GRAINES DE PAVOT

1 contenant de 8 oz (240 g) de produit de fromage à la crème fondu pasteurisé léger de MARQUE PHILADELPHIA
1/2 tasse (125 ml) de margarine PARKAY
1 tasse (250 ml) de sucre semoule
3 oeufs, séparés
2 tasses (500 ml) de farine
1 c. à thé (5 ml) de levure chimique
1 c. à thé (5 ml) de bicarbonate de soude
1 tasse (250 ml) de crème moitié-moitié BREAKSTONE'S LIGHT CHOICE
2 c. à table (25 ml) de graines de pavot
1 c. à table (15 ml) de zeste d'orange râpé
1/2 tasse (125 ml) de sucre semoule
1/3 tasse (75 ml) de liqueur à l'orange
1/4 tasse (50 ml) de jus d'orange
3 c. à table (50 ml) de sucre à glacer

- Préchauffer le four à 350°F (180°C).
- Bien mélanger le produit de fromage à la crème, la margarine et 1 tasse (250 ml) de sucre semoule dans un grand bol à la vitesse moyenne d'un batteur électrique. Y mélanger les jaunes d'oeufs.
- Mélanger la farine, la levure chimique et le bicarbonate de soude; incorporer au mélange au fromage à la crème en alternant avec la crème moitié-moitié. Ajouter les graines de pavot et le zeste d'orange en remuant.
- Battre les blancs d'oeufs dans un petit bol à la vitesse élevée d'un batteur électrique jusqu'à ce que des pointes prennent forme; retourner dans le mélange au fromage à la crème. Verser dans un moule cannelé à cheminée.
- Cuire 50 minutes.
- Dissoudre 1/2 tasse (125 ml) de sucre dans la liqueur et le jus d'orange dans une casserole à feu doux.
- Piquer le gâteau chaud plusieurs fois à l'aide d'une fourchette. Verser le sirop sur le gâteau; refroidir 10 minutes. Renverser sur une assiette de service. Refroidir complètement. Saupoudrer de sucre à glacer au moment de servir. Garnir de quartiers d'orange, au goût.

16 portions

Préparation : 30 minutes
Cuisson : 50 minutes
Variante : Omettre la liqueur à l'orange. Augmenter la quantité de jus d'orange à 1/2 tasse (125 ml).

Gâteau à l'orange et aux graines de pavot

ÉLÉGANTE AUX FRAISES

6 tasses (1,5 l) de tranches de framboises
2 c. à table (25 ml) de liqueur à l'orange ou de jus d'orange
1 paquet de 8 oz (240 g) de produit de fromage à la crème fondu pasteurisé léger de MARQUE PHILADELPHIA
3 c. à table (50 ml) de cassonade tassée
1 c. à table (15 ml) de liqueur à l'orange ou de jus d'orange
1 c. à table (15 ml) de lait écrémé

- Agiter les fraises et 2 c. à table (25 ml) de liqueur à l'orange dans un grand bol.
- Bien mélanger le produit de fromage à la crème, le sucre, 1 c. à table (15 ml) de liqueur et le lait au robot culinaire ou au mélangeur. Servir sur les fraises. Garnir de feuilles de menthe fraîche, au goût.

6 portions

Préparation : 20 minutes

BISCUITS À LA CUILLER SPECTACULAIRES

Quoi qu'il n'y paraisse, on peut préparer ces biscuits garnis de fromage à la crème en deux temps, trois mouvements avec une douille pâtissière appropriée!

1 contenant de 8 oz (240 g) de fromage à la crème doux aux fraises de MARQUE PHILADELPHIA
2 c. à table (25 ml) de lait
2 boîtes de 5½ oz (165 g) de biscuits pirouette
¾ tasse (175 ml) de brisures de vrai chocolat mi-sucré BAKER'S

- Mélanger le fromage à la crème et le lait dans un petit bol jusqu'à l'obtention d'une consistance homogène.
- Verser le mélange au fromage à la crème dans un sac pâtissier; remplir les biscuits. Réfrigérer 10 minutes.
- Fondre les brisures de chocolat dans une petite casserole à feu doux en remuant constamment jusqu'à l'obtention d'une consistance homogène. Décorer les biscuits de chocolat. Réfrigérer.

Environ 3½ douzaines

Préparation : 30 minutes, excluant la réfrigération

Remplir les biscuits de fromage à la crème au moyen d'un tube pâtissier muni d'une douille ronde numéro 3.

MOUSSE RAFRAÎCHISSANTE AUX FRAISES

1 paquet de 10 oz (300 g) de fraises BIRDS EYE dans leur sirop, partiellement décongelées
¼ tasse (50 ml) de crème fraîche à fouetter
1 contenant de 8 oz (240 g) de fromage à la crème doux aux fraises de MARQUE PHILADELPHIA
1 tasse (250 ml) de biscuits sablés aux pacanes, grossièrement émiettés (environ 8 biscuits)

- Bien mélanger les fraises et la crème fraîche au robot culinaire ou au mélangeur.
- Incorporer le fromage à la crème.
- Verser alternativement les miettes de biscuits et le mélange aux fraises dans des verres à parfait ou à sorbet. Réfrigérer. Garnir de crème fouettée supplémentaire, au goût.

4 portions

Préparation : 10 minutes, excluant la réfrigération

Centre : élégante aux fraises;
en bas, à dr. : biscuits à la cuiller spectaculaires

TARTE AUX PRUNES ET AUX AMANDES

1 tasse (250 ml) de farine
1/4 tasse (50 ml) de sucre
1/3 tasse (75 ml) de margarine PARKAY
1/2 tasse (125 ml) d'amandes moulues
2 c. à table (25 ml) d'eau froide
1 paquet de 8 oz (240 g) de fromage à la crème de MARQUE PHILADELPHIA, ramolli
4 oz ou environ 1/2 tasse (120 g ou 125 ml) de pâte d'amande
2 c. à table (25 ml) de sucre
1 oeuf
1/2 c. à thé (2 ml) de vanille
1 boîte de 17 oz (510 g) de prunes pourpres entières dans un sirop épais
1 c. à table (15 ml) de sucre
Sauce aux prunes

- Préchauffer le four à 350°F (180°C).
- Mélanger la farine et 1/4 tasse (50 ml) de sucre dans un bol de taille moyenne. Y couper la margarine jusqu'à l'obtention d'une chapelure grossière. Ajouter les amandes en remuant. Ajouter l'eau; remuer jusqu'à l'obtention d'une boule de pâte. Garnir de ce mélange le fond et les bords d'un moule à tarte de 9 po (22 cm), en comprimant. Cuire 10 minutes.
- Bien mélanger le fromage à la crème, la pâte d'amande, 2 c. à table (25 ml) de sucre, l'oeuf et la vanille à la vitesse moyenne d'un batteur électrique. Verser sur l'abaisse.
- Égoutter les prunes, en réservant le liquide pour la sauce aux prunes. Dénoyauter les prunes. Les passer au robot culinaire ou au mélangeur avec 1 c. à table (15 ml) de sucre jusqu'à l'obtention d'une consistance homogène. Verser à la cuiller sur le mélange au fromage à la crème. Couper plusieurs fois la pâte à l'aide d'un couteau pour produire un effet marbré.
- Cuire 25 minutes. Refroidir. Réfrigérer. Servir avec la sauce aux prunes.

12 portions

SAUCE AUX PRUNES
2 c. à thé (10 ml) de farine de maïs
2 c. à thé (10 ml) de sucre
Liquide des prunes réservé

- Bien mélanger la farine de maïs et le sucre dans une petite casserole. Incorporer graduellement le liquide des prunes.
- Porter à ébullition à feu moyen, en remuant constamment. Bouillir 3 minutes ou jusqu'à ce que le mélange soit clair et épais, en remuant constamment.

Préparation : 20 minutes, excluant la réfrigération
Cuisson : 25 minutes

FONDUE AU CHOCOLAT ET AUX FRAISES

1/2 tasse (125 ml) de framboises en conserve KRAFT
1 paquet de 8 oz (240 g) de fromage à la crème doux de MARQUE PHILADELPHIA
1 tasse (250 ml) de brisures de vrai chocolat mi-sucré BAKER'S
2 c. à table (25 ml) de liqueur à la framboise

- Chauffer les framboises dans une petite casserole jusqu'à ce qu'elles ramollissement; égoutter.
- Mélanger les framboises et le fromage à la crème dans un petit bol jusqu'à l'obtention d'une consistance homogène.
- Fondre les brisures de chocolat dans la liqueur dans une casserole de taille moyenne à feu doux, en remuant jusqu'à ce que la consistance soit homogène.
- Incorporer graduellement le mélange au fromage à la crème en utilisant un fouet métallique jusqu'à ce le mélange soit homogène et bien cuit. Servir assez chaud avec des cubes de gâteau, des tranches de banane ou des sections d'orange.

1 1/3 tasse (325 ml)

Préparation : 20 minutes

Tarte aux prunes et aux amandes

TRUFFES

Quel beau cadeau à offrir à vos hôtes que ces truffes joliment emballées!

1 paquet de 8 oz (240 g) de fromage à la crème de MARQUE PHILADELPHIA, ramolli
3 tasses (750 ml) de sucre à glacer
1 paquet de 12 oz (360 g) de brisures de vrai chocolat mi-sucré BAKER'S, fondu
1 c. à table (15 ml) de liqueur au café
1 c. à table (15 ml) de liqueur à l'orange
1 c. à table (15 ml) de liqueur aux amandes
Noix moulues
Sucre à glacer
Cacao

- Battre le fromage à la crème dans un grand bol à la vitesse moyenne d'un batteur électrique jusqu'à l'obtention d'une consistance homogène. Ajouter graduellement 3 tasses (750 ml) de sucre à glacer et bien mélanger. Incorporer le chocolat fondu; bien mélanger.
- Diviser la préparation en trois. Incorporer à chaque tiers une liqueur différente; bien mélanger. Réfrigérer plusieurs heures.
- Former des boulettes de 1 po (2,5 cm); rouler dans les noix, le sucre ou le cacao. Réfrigérer.

5 douzaines

Préparation : 20 minutes, excluant la réfrigération

Suggestion pour micro-ondes : Faire cuire les brisures de chocolat dans un bol de taille moyenne à HAUTE INTENSITÉ 1 ou 2 minutes ou jusqu'à ce qu'elles commencent à fondre, en remuant à chaque minute. Remuer jusqu'à ce que le chocolat soit complètement fondu.

MILLEFEUILLES

1 feuille de pâte feuilletée prête-à-cuire congelée
1 contenant de 8 oz (240 g) de fromage à la crème doux de MARQUE PHILADELPHIA
1/4 tasse (50 ml) de sucre à glacer
1/4 c. à thé (1 ml) d'extrait d'amande
1 tasse (250 ml) de crème fraîche, fouettée
1/2 tasse (125 ml) de sucre à glacer
1 c. à table (15 ml) de lait
1 carré de 1 oz (30 g) de chocolat mi-sucré BAKER'S, fondu

- Décongeler la pâte selon les indications de l'emballage.
- Préchauffer le four à 400°F (200°C).
- Sur une surface légèrement farineuse, rouler la pâte pour former un rectangle de 15 x 12 po (38 x 30 cm). Couper en trois dans le sens de la longueur.
- Placer les lanières de pâte sur une plaque à biscuits non-graissée; piquer la pâte partout à la fourchette. Cuire de 8 à 10 minutes ou jusqu'à ce que la pâte soit légèrement dorée.
- Bien mélanger le fromage à la crème, 1/4 tasse (50 ml) de sucre et l'extrait d'amande dans un bol de taille moyenne. Retourner la crème fouettée dans le mélange.
- Tartiner deux lanières de pâte du mélange au fromage à la crème; empiler les pâtes tartinées, puis la troisième.
- Remuer 1/2 tasse (125 ml) de sucre et le lait dans un petit bol jusqu'à l'obtention d'une consistance homogène. Tartiner les millefeuilles. Décorer de chocolat fondu. Réfrigérer.

10 portions

Préparation : 20 minutes, excluant la réfrigération
Cuisson : 10 minutes

Suggestion pour micro-ondes : Faire cuire le chocolat dans un petit bol à HAUTE INTENSITÉ de 30 secondes à 1 minute ou jusqu'à ce qu'il commence à fondre, en remuant toutes les 30 secondes. Remuer jusqu'à ce que le chocolat soit complètement fondu.

Millefeuilles

BISCOTTES

Tradition italienne oblige : il faut tremper ces biscuits croustillants dans le vin ou dans le café.

1 paquet de 8 oz (240 g) de fromage à la crème de MARQUE PHILADELPHIA, ramolli
3/4 tasse (175 ml) de margarine PARKAY
3/4 tasse (175 ml) de sucre
1 c. à thé (5 ml) de vanille
1/2 c. à thé (2 ml) d'extrait d'anis
4 oeufs
3 1/4 tasses (800 ml) de farine
1 c. à thé (5 ml) de levure chimique de CALUMET
1/8 c. à thé (0,5 ml) de sel
1/2 tasse (125 ml) d'amandes tranchées, grillées

- Préchauffer le four à 400°F (200°C).
- Bien mélanger le fromage à la crème, la margarine, le sucre, la vanille et l'extrait d'anis dans un grand bol à la vitesse moyenne d'un batteur électrique. Incorporer les oeufs en mélangeant.
- Ajouter graduellement les ingrédients secs combinés, en mélangeant bien. Ajouter les amandes en remuant.
- Sur une surface très farineuse et avec les mains également farineuses, pétrir la pâte pour former trois bûches de 12 x 1 1/2 po (30 x 3 cm). Placer les bûches à 2 po (5 cm) d'intervalle sur une plaque à biscuits graissée et farinée.
- Cuire de 15 à 20 minutes ou jusqu'à ce que la pâte soit légèrement dorée. (La pâte prendra de l'expansion et s'aplanira légèrement durant la cuisson.) Refroidir quelque peu.
- Couper chaque bûche en tranches diagonales de 3/4 po (1,6 cm). Placer sur la plaque à biscuits.
- Poursuivre la cuisson de 5 à 10 minutes ou jusqu'à ce que les tranches soient légèrement dorées. Refroidir sur une grille métallique.

3 douzaines

Préparation : 15 minutes
Cuisson : 30 minutes

Variante : Remplacer l'extrait d'anis par de l'extrait d'amande ou de citron.

CRÊPE CHOCOLATÉE AUX FRUITS

On peut facilement préparer ces crêpes chocolatées à l'avance. Il suffit de les étendre entre des feuilles de papier ciré, puis de les envelopper dans du papier d'aluminium et de les congeler.

1/2 tasse (125 ml) de farine
1/3 tasse (75 ml) de sucre
2 c. à table (25 ml) de cacao
1/2 tasse (125 ml) de lait écrémé
1 oeuf
1 c. à table (15 ml) d'huile
1/2 c. à thé (2 ml) de vanille
1 contenant de 8 oz (240 g) de fromage à la crème doux aux ananas de MARQUE PHILADELPHIA
2 tasses (500 ml) de fruits frais variés, coupés
1/4 tasse (50 ml) de sucre à glacer

- Mélanger la farine, le sucre, le cacao, le lait, l'oeuf, l'huile et la vanille dans un bol de taille moyenne jusqu'à l'obtention d'une consistance homogène.
- Chauffer un poêlon téflonisé de 8 po (20 cm) à feu moyen. Verser 2 c. à table (25 ml) de pâte dans le poêlon. Étendre la pâte avec le dos d'une cuiller pour former un cercle de 4 à 5 po (10 à 12,5 cm).
- Cuire de 30 à 45 secondes ou jusqu'à ce que des bulles apparaissent au-dessus de la pâte et que les bords soient secs; retourner. Poursuivre la cuisson 1 minute. Retirer du poêlon. Recommencer avec le reste de la pâte. Refroidir.
- Tartiner chaque crêpe de 2 c. à table (25 ml) de fromage à la crème; garnir de 1/4 tasse (50 ml) de fruits. Replier la crêpe. Saupoudrer de sucre à glacer.

8 portions

Préparation : 20 minutes
Cuisson : 20 minutes

Crêpe chocolatée aux fruits

CARRÉS AU CHOCOLAT ALLEMANDS

1 paquet de 4 oz (120 g) de chocolat sucré BAKER'S GERMAN'S
1/4 tasse (50 ml) de margarine PARKAY
3/4 tasse (175 ml) de sucre
2 oeufs battus
1 c. à thé (5 ml) de vanille
1/2 tasse (125 ml) de farine
1/2 tasse (125 ml) de noix hachées
4 oz (120 g) de fromage à la crème de MARQUE PHILADELPHIA, ramolli
1/4 tasse (50 ml) de sucre
1 oeuf
1 c. à table (15 ml) de farine

- Préchauffer le four à 350°F (180°C).
- Au micro-ondes, cuire le chocolat et la margarine dans un grand bol à HAUTE INTENSITÉ durant 2 minutes ou jusqu'à ce que la margarine soit fondue. Remuer jusqu'à ce que le chocolat soit complètement fondu.
- Ajouter 3/4 tasse (175 ml) de sucre; bien mélanger. Ajouter deux oeufs et la vanille en mélangeant. Ajouter 1/2 tasse (125 ml) de farine et les noix en remuant. Étendre dans un plat carré de 8 po (20 cm) allant au four.
- Dans un petit bol, bien mélanger le fromage à la crème et le reste du sucre, l'oeuf et la farine. Verser à la cuiller sur le mélange au chocolat; couper la pâte plusieurs fois avec un couteau pour produire un effet marbré.
- Cuire de 35 à 40 minutes ou jusqu'à ce que la préparation n'adhère presque pas à un cure-dents inséré en son centre. *(Éviter de trop cuire.)* Refroidir. Couper en carrés.

16 portions

Préparation : 15 minutes
Cuisson : 40 minutes

Four conventionnel : Fondre le chocolat et la margarine dans une casserole de 2 litres à feu doux; remuer constamment jusqu'à ce que les ingrédients soient complètement fondus. Retirer du feu. Poursuivre la recette.

FONDANTS À LA MENTHE DU TEMPS DES FÊTES

Une seule recette de ces bonbons crémeux fait beaucoup de chemin... Donnez-en en cadeau, mais gardez-en pour vous régaler!

4 oz (120 g) de fromage à la crème de MARQUE PHILADELPHIA, ramolli
1 c. à table (15 ml) de margarine PARKAY
1 c. à table (15 ml) de sirop de maïs léger
1/4 c. à thé (1 ml) d'extrait de menthe ou quelques gouttes d'huile de menthe
4 tasses (1 l) de sucre à glacer
Colorants alimentaires rouge et vert
Sucre à glacer tamisé
Garnitures verte, rouge et blanche (facultatif)

- Bien mélanger le fromage à la crème, la margarine, le sirop de maïs et l'extrait de menthe dans un grand bol à la vitesse moyenne d'un batteur électrique. Ajouter graduellement 4 tasses (1 l) de sucre à glacer; bien mélanger.
- Diviser le mélange en trois. Pétrir l'un des tiers en y ajoutant quelques gouttes de colorant vert; faire de même pour un autre tiers avec le colorant rouge. Envelopper ces deux préparations dans une pellicule de plastique.
- Former des boulettes de 3/4 po (1,6 cm) avec l'une des préparation, puis avec l'autre. Placer sur une plaque à biscuits recouverte de papier ciré. Aplatir chaque boulette avec le dessous d'un verre légèrement garni de sucre.
- Faire de même avec les autres préparations. Décorer de garniture. Réfrigérer.

5 douzaines

Préparation : 30 minutes, excluant la réfrigération

Bonbons à la menthe du temps des Fêtes

TARTE À LA MOUSSE CONGELÉE

Pour varier, remplacez la crème glacée au café par votre crème glacée préférée.

1½ tasse (375 ml) de gaufrettes de chocolat émiettées (environ 30 gaufrettes)
6 c. à table (100 ml) de margarine PARKAY, fondue
2 c. à table (25 ml) de sucre
2 c. à table (25 ml) de margarine PARKAY
2 c. à table (25 ml) de sucre
1 tasse (250 ml) d'amandes hachées
½ tasse (125 ml) d'eau froide
¾ tasse (175 ml) de sucre
1 paquet de 8 oz (240 g) de fromage à la crème de MARQUE PHILADELPHIA, ramolli
6 carrés de 1 oz (30 g) de chocolat mi-sucré BAKER'S, fondu
1½ tasse (375 ml) de crème fraîche, fouettée
1 demi-litre de crème glacée au café

- Préchauffer le four à 350°F (180°C).
- Mélanger les gaufrettes émiettées, 6 c. à table (100 ml) de margarine et 2 c. à table (25 ml) de sucre dans un petit bol; étendre au fond et jusqu'à une hauteur de 2 po (5 cm) des bords d'un moule à charnière, en comprimant. Cuire 10 minutes.
- En même temps, fondre 2 c. à table (25 ml) de margarine dans un poêlon de taille moyenne à feu moyen. Ajouter 2 c. à table (25 ml) de sucre et les amandes en remuant; cuire 1 minute. Réduire à feu doux; poursuivre la cuisson des amandes jusqu'à ce qu'elles soient dorées, en remuant constamment.
- Verser dans l'abaisse; appuyer légèrement. Refroidir.
- Mélanger l'eau et ¾ tasse (175 ml) de sucre dans une petite casserole. Porter à ébullition; réduire à feu moyen. Laisser mijoter 3 minutes.
- Battre le fromage à la crème dans un grand bol à la vitesse moyenne d'un batteur électrique jusqu'à l'obtention d'une consistance homogène. Ajouter graduellement le mélange de sucre, en raclant au besoin. Y mélanger le chocolat. Retourner la crème fouettée dans la préparation.
- Verser la moitié du mélange au chocolat sur le mélange aux amandes. Réfrigérer le reste du mélange au chocolat. Mettre le moule à charnière au congélateur durant 2 heures ou jusqu'à ce que le mélange au chocolat soit ferme.
- Ramollir la crème glacée pour qu'elle ait une consistance tartinable. Verser sur la couche de chocolat; garnir du reste du mélange au chocolat.
- Congeler plusieurs heures ou durant la nuit. Laisser reposer à la température de la pièce de 10 à 15 minutes avant de servir. Décorer de crème fouettée, de garniture de chocolat et de graines de café, au goût.

10 à 12 portions

Préparation : 40 minutes, excluant la congélation

Pour créer une garniture de chocolat, se référer à la page 156.

Tarte à la mousse congelée

TABLETTES AUX ARACHIDES ET AU CARAMEL DUR

Ces tablettes gagneront la faveur des enfants autant que des parents!

1 paquet de 8 oz (240 g) de fromage à la crème PHILADELPHIA, ramolli
1/2 tasse (125 ml) de cassonade tassée
1/2 tasse (125 ml) de sucre semoule
1/4 tasse (50 ml) de margarine PARKAY
1/2 tasse (125 ml) de lait
1 oeuf
2 c. à thé (10 ml) de vanille
2 1/4 tasses (550 ml) de farine
1 c. à thé (5 ml) de levure chimique CALUMET
1/4 c. à thé (1 ml) de sel
1 tasse (250 ml) d'arachides salées hachées
1 tasse (250 ml) de bouchées de caramel dur
Glaçage au caramel dur
1/2 tasse (125 ml) d'arachides salées hachées

- Préchauffer le four à 350°F (180°C).
- Bien mélanger le fromage à la crème, les sucres et 1/4 tasse (50 ml) de margarine dans un grand bol à la vitesse moyenne d'un batteur électrique. Y mélanger le lait, l'oeuf et la vanille.
- Ajouter les ingrédients secs combinés; bien mélanger. Ajouter 1 tasse (250 ml) d'arachides et les bouchées de caramel dur en remuant. Foncer un moule à gâteau roulé graissé de 15 x 10 x 1 po (38 x 25 x 2,5 cm).
- Cuire de 20 à 25 minutes ou jusqu'à ce que la préparation n'adhère pas à un cure-dents inséré en son centre. Garnir de glaçage au caramel dur. Parsemer de 1/2 tasse (125 ml) d'arachides. Couper en tablettes.

Environ 3 douzaines

GLAÇAGE AU CARAMEL DUR

1 tasse (250 ml) de bouchées de caramel dur
1/2 tasse (125 ml) de beurre d'arachides crémeux
2 c. à table (25 ml) de margarine PARKAY
1 c. à table (15 ml) de lait

- Mélanger les ingrédients dans une petite casserole à feu doux jusqu'à ce que le mélange soit homogène.

Préparation : 20 minutes
Cuisson : 25 minutes

MOUSSE DE CANNEBERGES

Une mousse de fruits est un dessert réfrigéré composé d'une pulpe de fruits sucrée retournée dans un mélange de crème fouettée.

1 paquet de 8 oz (240 g) de fromage à la crème doux de MARQUE PHILADELPHIA
2 c. à table (25 ml) de jus d'orange
1 c. à table (15 ml) de sucre
1 contenant de 10 oz (300 g) de purée de canneberges et d'oranges, décongelée
2 tasses (500 ml) de garniture fouettée COOL WHIP décongelée

- Bien mélanger le fromage à la crème, le jus d'orange et le sucre dans un grand bol. Ajouter la purée; bien mélanger.
- Retourner garniture fouettée dans la préparation. Réfrigérer. Garnir de canneberges et de feuilles de menthe, au goût.

4 portions

Préparation : 10 minutes, excluant la réfrigération

FUDGE BLANC

1 paquet de 8 oz (240 g) de fromage à la crème de MARQUE PHILADELPHIA, ramolli
4 tasses (1 l) de sucre à glacer
1 1/2 c. à thé (7 ml) de vanille
12 oz (360 g) de chocolat blanc, fondu
3/4 tasse (175 ml) d'abricots séchés, hachés
3/4 tasse (175 ml) de noix de Macadamia, hachées

- Bien mélanger le fromage à la crème, le sucre et la vanille dans un grand bol à la vitesse moyenne d'un batteur électrique. Ajouter graduellement le chocolat; bien mélanger. Ajouter les abricots et les noix en remuant.
- Étaler dans un plat carré graissé de 8 po (20 cm) allant au four. Réfrigérer plusieurs heures.
- Couper en carrés.

2 1/2 livres (1,25 kg)

Préparation : 15 minutes, excluant la réfrigération

Mousse de canneberges

POUDING AU PAIN ET À LA CRÈME MOULÉE

2 paquets de 8 oz (240 g) de fromage à la crème de MARQUE PHILADELPHIA, ramolli
½ tasse (125 ml) de cassonade tassée
1 c. à thé (5 ml) de vanille
1 c. à thé (5 ml) de zeste de citron râpé
2½ tasses (625 ml) de lait
3 oeufs battus
2 c. à table (25 ml) de whisky ou de brandy
8 tasses (2 l) de cubes de pain rassis à la cannelle et au raisin

- Bien mélanger le fromage à la crème, le sucre, la vanille et le zeste de citron dans un grand bol à la vitesse moyenne d'un batteur électrique. Ajouter graduellement le lait, les oeufs et le whisky; bien mélanger.
- Placer le pain dans un grand bol. Verser le mélange au fromage à la crème sur le pain; bien mélanger. Laisser reposer 30 minutes, en remuant à l'occasion.
- Préchauffer le four à 325°F (160°C).
- Verser le mélange dans une cocotte graissée de 2 litres; couvrir.
- Cuire 40 minutes. Retirer le couvercle; poursuivre la cuisson 35 minutes. Laisser reposer au moins 1 heure avant de servir. Accompagner de crème moitié-moitié ou de lait. *10 à 12 portions*

Préparation : 10 minutes, excluant l'attente
Cuisson : 1 heure 15 minutes

DESSERT AUX AMANDES ET À L'AMARETTO

1 contenant de 8 oz (240 g) de produit de fromage à la crème fondu pasteurisé léger de MARQUE PHILADELPHIA
2 tasses (500 ml) de lait écrémé
1 paquet de 9 oz (270 g) de préparation instantanée pour crème-dessert et garniture de tarte non-sucrée à la vanille JELL-O
3 c. à table (50 ml) de liqueur aux amandes
1 tablette de chocolat au lait de 1,65 oz (50 g), râpée
2 tasses (500 ml) de garniture fouettée COOL WHIP, décongelée
⅓ tasse (75 ml) d'amandes tranchées, grillées

- Bien mélanger le produit de fromage à la crème et ½ tasse (125 ml) de lait dans un grand bol à la vitesse réduite d'un batteur électrique.
- Fouetter le reste du lait avec la préparation pour crème-dessert dans un bol de taille moyenne en mélangeant bien. Ajouter au mélange au fromage à la crème; bien mélanger. Ajouter la liqueur aux amandes en remuant; verser dans un moule à gâteau carré en verre de 1½ litre. Réfrigérer.
- Parsemer le mélange au fromage à la crème de la moitié du chocolat râpé. Verser la garniture fouettée sur le chocolat. Parsemer d'amandes et du reste du chocolat. *8 portions*

Préparation : 30 minutes, excluant la réfrigération

TARTE AU CARAMEL ET AU CAFÉ

2 tasses (500 ml) de gaufrettes de chocolat émiettées (environ 40 gaufrettes)
¼ tasse (50 ml) de sucre
6 c. à table (100 ml) de margarine PARKAY, fondue
1 paquet de 8 oz (240 g) de fromage à la crème de MARQUE PHILADELPHIA, ramolli
3 ou 4 c. à table (50 à 60 ml) de liqueur au café
1 contenant de 8 oz (240 g) de garniture fouettée COOL WHIP, décongelée
4 tablettes de 1,4 oz (42 g) de chocolat au lait recouvert de caramel, hachées (environ 1 tasse - 250 ml)

- Préchauffer le four à 350°F (180°C).
- Mélanger les gaufrettes émiettées, le sucre et la margarine dans un bol de taille moyenne; garnir de ce mélange le fond et les bords d'un moule à tarte de 9 po (22 cm), en comprimant. Cuire 10 minutes.
- Bien mélanger le fromage à la crème et la liqueur dans un grand bol à la vitesse moyenne d'un batteur électrique. Retourner la garniture fouettée et ¾ tasse (175 ml) de chocolat dans le mélange; verser dans l'abaisse.
- Parsemer du reste du chocolat. Réfrigérer jusqu'à ce que la consistance soit ferme.

8 à 10 portions

Préparation : 15 minutes, excluant la réfrigération

Tarte au caramel et au café

BOMBE CONGELÉE AUX BANANES

Assurez-vous de sortir le dessert du congélateur 30 minutes avant de servir.

1 boîte de 20 oz (600 g) d'ananas broyés dans leur jus non-sucré
1 paquet de 8 oz (240 g) de fromage neufchâtel léger de MARQUE PHILADELPHIA, ramolli
3 bananes
1/4 c. à thé (1 ml) de muscade moulue
1 tasse (250 ml) de lait glacé à la vanille
3 bananes, tranchées
1/4 tasse (50 ml) de noix de coco BAKER'S ANGEL FLAKE, grillée

- Égoutter les ananas; réserver 3 c. à table (50 ml) de jus.
- Bien mélanger le fromage neufchâtel, les ananas, le jus réservé, trois bananes et la muscade au robot culinaire ou au mélangeur. Ajouter le lait glacé; bien mélanger.
- Retourner les tranches de bananes et la noix de coco dans le mélange; verser dans un moule ou un bol de 8 tasses (2 l) légèrement huilé. Congeler de 4 à 6 heures ou jusqu'à ce que la préparation soit ferme.
- Sortir du congélateur 30 minutes avant de servir; démouler. Servir avec la garniture chaude au fudge KRAFT, au goût. *8 portions*

Préparation : 30 minutes, excluant la congélation et l'attente

TREMPETTE ÉTINCELANTE

1 contenant de 8 oz (240 g) de fromage à la crème doux à l'ananas de MARQUE PHILADELPHIA
3 c. à table (50 ml) de jus d'orange
1 c. à table (15 ml) de sucre à glacer
1 c. à thé (5 ml) de zeste d'orange râpé

- Bien mélanger les ingrédients dans un petit bol à la vitesse moyenne d'un batteur électrique. Réfrigérer. Servir avec des brochettes de fruits variés. Garnir de zeste d'orange, au goût. *1 tasse (250 ml)*

Préparation : 10 minutes, excluant la réfrigération

GÂTEAU DOUBLE CHOCOLAT

1 paquet de 8 oz (240 g) de fromage à la crème de MARQUE PHILADELPHIA, ramolli
1 tasse (250 ml) de crème aigre BREAKSTONE'S
1/2 tasse (125 ml) de liqueur au café ou d'eau froide
2 oeufs
1 préparation pour gâteau à deux étages
1 paquet de 4 oz (120 g) de préparation instantanée pour crème-dessert et garniture à tarte au chocolat de JELL-O
1 tasse (250 ml) de brisures de vrai chocolat mi-sucré BAKER'S
Sucre à glacer tamisé

- Préchauffer le four à 325°F (160°C).
- Battre le fromage à la crème dans un grand bol à la vitesse moyenne d'un batteur électrique jusqu'à ce que la consistance soit homogène. Y mélanger la crème aigre, la liqueur et les oeufs.
- Ajouter la préparation pour gâteau et pour crème-dessert; bien mélanger. Ajouter les brisures de chocolat en remuant.
- Verser dans un moule cannelé à cheminée de 10 po (25 cm) graissé et fariné.
- Cuire 1 heure ou 1 heure 5 minutes ou jusqu'à ce que la préparation n'adhère pas à un cure-dents inséré en son centre. Refroidir 5 minutes.
- Démouler. Refroidir complètement. Saupoudrer de sucre à glacer au moment de servir. *10 à 12 portions*

Préparation : 10 minutes, excluant l'attente
Cuisson : 1 heure 5 minutes

Trempette éblouissante

DESSERT PHILADELPHIA À LA MANDARINE

1 paquet de 1,3 oz (39 g) de préparation pour garniture fouettée DREAM WHIP
½ tasse (125 ml) de lait écrémé froid
1 c. à thé (5 ml) de vanille
1 boîte de 11 oz (330 g) de segments de mandarines dans leur sirop
1 paquet de 3 oz (90 g) de gélatine non sucrée à l'orange JELL-O
½ tasse (125 ml) d'eau froide
1 paquet de 8 oz (240 g) de fromage neufchâtel léger PHILADELPHIA, ramolli
1 contenant de 8 oz (240 g) de yogourt au citron ou aux fruits exotiques
½ tasse (125 ml) de noix de coco BAKER'S ANGEL FLAKE, grillée

- Battre la préparation pour garniture, le lait et la vanille dans un petit bol à la vitesse élevée d'un batteur électrique jusqu'à ce que le mélange forme des pointes. Réfrigérer.
- Égoutter les segments de mandarine, en réservant le sirop; verser le sirop dans une petite casserole et le porter à ébullition. Dissoudre la gélatine dans le sirop; ajouter l'eau. Réfrigérer jusqu'à ce que la préparation épaississe, sans tout-à-fait prendre.
- Bien mélanger le fromage neufchâtel et le yogourt dans un grand bol à la vitesse moyenne d'un batteur électrique. Ajouter graduellement le mélange à la gélatine. Réfrigérer 15 minutes.
- Retourner les segments de mandarine et la garniture fouettée dans le mélange au fromage neufchâtel. Verser dans des assiettes avec une cuiller. Réfrigérer jusqu'à l'obtention d'une consistance ferme. Saupoudrer de noix de coco.

6 à 8 portions

Préparation : 25 minutes, excluant la réfrigération

CHARLOTTE RUSSE DES FÊTES

Pour une présentation élégante, nouez un ruban coloré autour de ce dessert des Fêtes.

18 biscuits à la cuiller séparés
2 c. à table (30 ml) de rhum (facultatif)
1½ c. à thé (7 ml) de gélatine sans saveur
3 tasses (750 ml) de lait de poule
2 paquets de 8 oz (240 g) de fromage à la crème de MARQUE PHILADELPHIA, ramolli
2 paquets de 3½ oz (105 g) de préparation instantanée pour crème-dessert et garniture à tarte à la vanille de JELL-O
1 c. à thé (5 ml) d'extrait de rhum
¼ c. à thé (1 ml) de muscade moulue
1 tasse (250 ml) de purée de canneberges avec baies entières

- Recouvrir de biscuits à la cuiller, côté coupé en dessous, les côtés et le fond d'un moule à charlotte de 9 po (22 cm); asperger de rhum.
- Dans une casserole de taille moyenne, diluer la gélatine dans ¼ tasse (50 ml) de lait de poule; remuer à feu doux durant 5 minutes ou jusqu'à dissolution complète. Ajouter le reste du lait de poule (2¾ tasses - 675 ml) en remuant.
- Battre le fromage à la crème dans un grand bol à la vitesse moyenne d'un batteur électrique jusqu'à l'obtention d'une consistance homogène.
- Ajouter le mélange de lait de poule en alternant avec la préparation pour crème-dessert, en mélangeant bien après chaque addition. Ajouter l'extrait de rhum et la muscade en remuant.
- Verser dans le moule garni de biscuits. Réfrigérer 8 heures ou durant la nuit.
- Dégagez les biscuits des côtés du moule; retirer le rebord. Garnir de purée de canneberges au moment de servir. Nouer un ruban, au goût.

10 à 12 portions

Préparation : 15 minutes, excluant la réfrigération

Charlotte russe des Fêtes

CRÈME BRÛLÉE AU SUCRE

Le bain-marie permet d'éviter de trop cuire la crème anglaise et empêche celle-ci de cailler.

1/4 tasse (50 ml) de margarine PARKAY
1/2 tasse (125 ml) de cassonade tassée
1 c. à table (15 ml) d'eau froide
1 paquet de 8 oz (240 g) de fromage à la crème de MARQUE PHILADELPHIA, ramolli
1/3 tasse (75 ml) de cassonade tassée
2 c. à thé (10 ml) de vanille
6 oeufs
2 tasses (500 ml) de crème moitié-moitié

- Préchauffer le four à 350°F (180°C).
- Fondre la margarine dans une petite casserole. Ajouter 1/2 tasse (125 ml) de sucre et l'eau en remuant. Cuire 2 minutes à feu moyen ou jusqu'à ce que les ingrédients soient bien mélangés, en remuant constamment. Verser dans huit coupes de 6 oz (180 g).
- Bien mélanger le fromage à la crème, 1/3 tasse (75 ml) de sucre et la vanille dans un grand bol à la vitesse moyenne d'un batteur électrique.
- Incorporer les oeufs, un à la fois, en mélangeant bien après chaque addition. Ajouter la crème moitié-moitié en mélangeant.
- Verser sur le mélange au sucre dans les coupes. Placer celles-ci dans un grand plat étroit allant au four. Mettre sur la grille du four; verser avec précaution l'eau bouillante dans le plat à 1/2 po (1 cm) de profondeur.
- Cuire de 35 à 40 minutes ou jusqu'à ce que la préparation n'adhère pas à un couteau inséré au centre et que celui-ci soit cuit.
- Retirer les coupes de l'eau immédiatement; refroidir 5 minutes. Démouler dans des assiettes.

8 portions

Préparation : 15 minutes
Cuisson : 40 minutes

MACARONS AU FROMAGE EN TABLETTES

Ces tablettes constituent une gâterie idéale pour le thé, un brunch ou une réception à l'improviste.

1 tasse (250 ml) de farine
1 tasse (250 ml) d'amandes moulues
1/2 tasse (125 ml) de margarine PARKAY
1/3 tasse (75 ml) de cassonade tassée
1/4 c. à thé (1 ml) de sel
1/4 c. à thé (1 ml) d'extrait d'amandes
2 paquets de 8 oz (240 g) de fromage à la crème PHILADELPHIA, ramolli
3/4 tasse (175 ml) de sucre semoule
1 c. à table (15 ml) de jus de citron
3 oeufs
1 tasse (250 ml) de noix de coco BAKER'S ANGEL FLAKE, grillée
1 1/2 tasse (375 ml) de crème aigre BREAKSTONE'S
3 c. à table (50 ml) de sucre semoule
2 c. à thé (10 ml) de vanille
1/2 tasse (125 ml) de noix de coco BAKER'S ANGEL FLAKE, grillée

- Préchauffer le four à 350°F (180°C).
- Bien mélanger la farine, les amandes, la margarine, la cassonade, le sel et l'extrait d'amandes dans un petit bol à la vitesse moyenne d'un batteur électrique. Foncer de ce mélange un plat de 13 x 9 po (33 x 22 cm) allant au four, en comprimant.
- Cuire de 8 à 10 minutes ou jusqu'à ce que la préparation soit légèrement dorée.
- Bien mélanger le fromage à la crème, 3/4 tasse (175 ml) de sucre semoule et le jus de citron dans un grand bol à la vitesse moyenne d'un batteur électrique.
- Incorporer les oeufs, un à la fois, en mélangeant bien après chaque addition. Ajouter 1 tasse (250 ml) de noix de coco en remuant; verser sur l'abaisse.
- Cuire 25 minutes. Refroidir 5 minutes.
- Mélanger la crème aigre, 3 c. à table (50 ml) de sucre semoule et la vanille dans un petit bol jusqu'à l'obtention d'une consistance homogène; étaler avec soin sur le mélange à la noix de coco.
- Cuire de 5 à 7 minutes ou jusqu'à ce que la préparation soit ferme. Saupoudrer de 1/2 tasse (125 ml) de noix de coco; refroidir. Couper en tablettes.

Environ 3 douzaines

Préparation : 30 minutes, excluant l'attente
Cuisson : 32 minutes

Macarons au fromage en tablettes

BRISE À L'AMARETTO

Un dessert élégant et facile à préparer... Pour un changement rafraîchissant, servez la sauce avec des boulettes de melon, des framboises, des pêches tranchées ou plusieurs de ces fruits.

1 paquet de 8 oz (240 g) de fromage à la crème PHILADELPHIA, ramolli
1/2 tasse (125 ml) de crème aigre BREAKSTONE'S
1/2 tasse (125 ml) de sucre
3 c. à table (50 ml) de liqueur aux amandes
2 c. à table (25 ml) de crème fraîche à fouetter
1 demi-litre de mûres ou de bleuets
1 demi-litre de fraises

- Bien mélanger le fromage à la crème et la crème aigre dans un petit bol à la vitesse moyenne d'un batteur électrique. Ajouter le sucre, la liqueur et la crème en mélangeant. Réfrigérer.
- Disposer les baies dans des assiettes; garnir de la sauce au fromage à la crème. *4 à 6 portions*

Préparation : 10 minutes, excluant la réfrigération

CARRÉS AU CHOCOLAT MOKA DE L'AVENUE MADISON

Des carrés au chocolat très sophistiqués et faciles à préparer à l'aide d'une préparation, mais marbrés d'un café moka et sucrés de fromage à la crème.

1 paquet de 20 à 23 oz (600 à 690 g) de préparation pour carrés au chocolat (ainsi que les ingrédients requis pour cette préparation)
1 paquet de 8 oz (240 g) de fromage à la crème PHILADELPHIA, ramolli
1/3 tasse (75 ml) de sucre
1 oeuf
1 1/2 c. à thé (7 ml) de grains de café instantané
1 c. à thé (5 ml) de vanille

- Préchauffer le four à 350°F (180°C).
- Préparer les carrés au chocolat selon les indications de l'emballage. Verser dans un plat graissé de 13 x 9 po (33 x 22 cm) allant au four.
- Bien mélanger le fromage à la crème, le sucre et les oeufs dans un petit bol à la vitesse moyenne d'un batteur électrique.
- Dissoudre le café dans la vanille; ajouter au mélange au fromage à la crème, en mélangeant bien.
- Verser le mélange au fromage à la crème sur la pâte de carrés au chocolat à l'aide d'une cuiller; couper la pâte plusieurs fois avec un couteau pour obtenir un effet marbré.
- Cuire de 35 à 40 minutes ou jusqu'à ce que le mélange au fromage à la crème soit pris.

4 douzaines

Préparation : 20 minutes
Cuisson : 40 minutes

TARTELETTES ENSOLEILLÉES AUX FRUITS

1 paquet de 15 oz (450 g) de croûtes de tarte réfrigérées (2 croûtes)
1/3 tasse (75 ml) d'ananas en conserve KRAFT
1/3 tasse (75 ml) de fraises en conserve KRAFT
1 contenant de 8 oz (240 g) de fromage à la crème doux aux ananas de MARQUE PHILADELPHIA
1 contenant de 8 oz (240 g) de fromage à la crème doux aux fraises de MARQUE PHILADELPHIA

- Préchauffer le four à 450°F (230°C).
- Rouler chaque croûte de tarte sur une surface légèrement farineuse pour former deux cercles de 15 po (38 cm); couper chaque cercle en 18 cercles à l'aide d'un moule à biscuits de 3 po (7,5 cm). Placer dans des moules à muffins miniatures ou dans des moules à tartelettes miniatures; tailler l'excès de pâte. Piquer le fond et les côtés à l'aide d'une fourchette.
- Cuire de 8 à 10 minutes ou jusqu'à ce que la pâte soit légèrement dorée. Refroidir. Démouler.
- Verser des cuillerées combles de fruits dans chaque croûte; garnir de fromage à la crème.

3 douzaines

Préparation : 35 minutes
Cuisson : 10 minutes

Suggestion : Utiliser un tube pâtissier muni d'une douille en forme d'étoile pour garnir les tartelettes.

Brise à l'amaretto

CARRÉS DE GÂTEAU AU FROMAGE CITRONNÉ

- **1 1/3 tasse (325 ml) de biscuits sablés émiettés (environ 18 biscuits)**
- **1/3 tasse (75 ml) d'amandes moulues**
- **3 c. à table (50 ml) de margarine PARKAY, fondue**
- **2 c. à table (25 ml) de sucre**
- **1 contenant de 6 oz (180 g) de concentré de limonade, décongelé**
- **3 paquet de 8 oz (240 g) de fromage à la crème de MARQUE PHILADELPHIA, ramolli**
- **1 tasse (250 ml) de crème aigre BREAKSTONE'S**
- **1 paquet de 3 1/2 oz (105 g) de préparation instantanée de crème-dessert et garniture de tarte au citron de marque JELL-O**
- **2 tasses (500 ml) de garniture fouettée COOL WHIP, décongelée**

- Préchauffer le four à 350°F (180°C).
- Mélanger les biscuits émiettés, les amandes, la margarine et le sucre dans un petit bol; foncer de ce mélange un plat de 13 x 9 po (33 x 22 cm) allant au four, en comprimant. Cuire 10 minutes. Refroidir.
- Ajouter graduellement le concentré de limonade au fromage à la crème dans un grand bol en mélangeant bien à la vitesse réduite d'un batteur électrique. Ajouter la crème aigre et la préparation pour crème-dessert; battre 1 minute.
- Retourner la garniture fouettée dans le mélange; verser sur l'abaisse.
- Congeler jusqu'à l'obtention d'une consistance ferme. Couper en carrés.

18 portions

Préparation : 15 minutes, excluant la congélation

DESSERT CRÉMEUX AUX FRAMBOISES

Parfait pour cette occasion spéciale!

- **1 enveloppe de gélatine sans saveur**
- **1/4 tasse (50 ml) d'eau froide**
- **1 paquet de 8 oz (240 g) de fromage neufchâtel léger de MARQUE PHILADELPHIA, ramolli**
- **1 contenant de 15 oz (450 g) de fromage ricotta réduit en matières grasses**
- **1/3 tasse (75 ml) de sucre ou 6 sachets de substitut**
- **1 c. à thé (5 ml) de vanille**
- **2 tasses (500 ml) de garniture fouettée COOL WHIP, décongelée**
- **1 paquet de 10 oz (300 g) de framboises dans un sirop léger de marque BIRDS EYE, décongelées**

- Dans une petite casserole, diluer la gélatine dans l'eau; remuer à feu doux jusqu'à dissolution complète.
- Bien mélanger les fromages, le sucre et la vanille dans un grand bol à la vitesse moyenne d'un batteur électrique. Ajouter graduellement la gélatine, en mélangeant bien.
- Retourner dans la garniture fouettée; verser dans un moule de 4 tasses (1 l) légèrement huilé.
- Réfrigérer jusqu'à ce que la préparation soit prise.
- Réduire les framboises en purée au robot culinaire ou au mélangeur. Égoutter. Démouler la préparation à la gélatine; servir avec la purée.
- Garnir de feuilles de menthe et de framboises fraîches, au goût.

8 portions

Préparation : 15 minutes, excluant la réfrigération

Dessert crémeux aux framboises

PÂTE À BISCUITS AU FROMAGE À LA CRÈME «PHILLY»

1 paquet de 8 oz (240 g) de fromage à la crème de MARQUE PHILADELPHIA, ramolli
$\frac{3}{4}$ tasse (175 ml) de beurre
1 tasse (250 ml) de sucre à glacer
$2\frac{1}{4}$ tasses (550 ml) de farine
$\frac{1}{2}$ c. à thé (2 ml) de bicarbonate de soude

- Bien mélanger le fromage à la crème, le beurre et le sucre dans un grand bol à la vitesse moyenne d'un batteur électrique.
- Ajouter la farine et le bicarbonate de soude; bien mélanger.

3 tasses (750 ml) de pâte

Biscuits à la menthe et au chocolat :

- Préchauffer le four à 325°F (160°C).
- Ajouter $\frac{1}{4}$ c. à thé (1 ml) d'extrait de menthe et quelques gouttes de colorant alimentaire vert à $1\frac{1}{2}$ tasse (375 ml) de pâte à biscuits; bien mélanger. Réfrigérer 30 minutes.
- Sur une surface légèrement farineuse, rouler la pâte pour obtenir une épaisseur de $\frac{1}{8}$ po (3 mm); couper à l'aide de moules à biscuits variés de 3 po (7,5 cm). Placer sur une plaque à biscuits non-graissée.
- Cuire de 10 à 12 minutes ou jusqu'à ce que les bords commencent à dorer. Refroidir sur une grille métallique.
- Fondre $\frac{1}{4}$ tasse (50 ml) de brisures de chocolat mi-sucré à la menthe dans une petite casserole à feu doux, en remuant jusqu'à l'obtention d'une consistance homogène. Décorer les biscuits de chocolat.

Environ 3 douzaines

Préparation : 20 minutes, excluant la réfrigération
Cuisson : 12 minutes par fournée

Variante : Parsemer chaque biscuit de petites billes alimentaires multicolores avant la cuisson.

Bonhommes de neige :

- Préchauffer le four à 325°F (160°C).
- Ajouter $\frac{1}{4}$ c. à thé (1 ml) de vanille à $1\frac{1}{2}$ tasse (375 ml) de pâte à biscuits; bien mélanger. Réfrigérer 30 minutes.
- Pour chaque figurine, travailler la pâte pour former deux boulettes dont l'une est de taille légèrement supérieure à l'autre. Placer les boulettes sur une plaque à biscuits non-graissée de façon qu'elles se chevauchent quelque peu. Aplatir du dessous d'un verre.
- Cuire de 18 à 20 minutes ou jusqu'à ce que les bords commencent à dorer. Refroidir sur une grille métallique.
- Saupoudrer chaque bonhomme de neige de sucre à glacer tamisé. Décorer au goût. Couper en deux des petits moules de papier remplis de beurre d'arachides pour confectionner les chapeaux.

Environ 2 douzaines

Préparation : 15 minutes, excluant la réfrigération et la décoration
Cuisson : 20 minutes par fournée

Biscuits chocorange :

- Préchauffer le four à 325°F (160°C).
- Ajouter $1\frac{1}{2}$ c. à thé (7 ml) de zeste d'orange râpé à $1\frac{1}{2}$ tasse (375 ml) de pâte à biscuits; bien mélanger. Former une bûche de 8 x $1\frac{1}{2}$ po (20 x 3 cm). Réfrigérer 30 minutes.
- Couper la bûche en tranches de $\frac{1}{4}$ po (6 mm).
- Placer sur une plaque à biscuits non-graissée.
- Cuire de 15 à 18 minutes ou jusqu'à ce que les bords commencent à dorer. Refroidir sur une grille métallique.
- Fondre $\frac{1}{3}$ tasse (75 ml) de brisures de vrai chocolat mi-sucré BAKER'S dans 1 c. à table (15 ml) de jus d'orange et 1 c. à table (15 ml) de liqueur à l'orange dans une petite casserole à feu doux, en remuant jusqu'à l'obtention d'une consistance homogène. Tremper les biscuits dans le mélange au chocolat.

Environ $2\frac{1}{2}$ douzaines

Préparation : 15 minutes, excluant la réfrigération
Cuisson : 18 minutes par recette

Biscuits fourrés aux fruits :

- Préchauffer le four à 325°F (160°C).
- Ajouter $\frac{1}{2}$ tasse (125 ml) de pacanes hachées et $\frac{1}{2}$ c. à thé (2 ml) de vanille à $1\frac{1}{2}$ tasse (375 ml) de pâte à biscuits; bien mélanger. Réfrigérer 30 minutes.
- Former des boulettes de 1 po (2,5 cm). Placer sur une plaque à biscuits non-graissée. Renfoncer les centres; remplir chaque pâte de 1 c. à thé (5 ml) de fruits en conserve KRAFT.
- Cuire de 14 à 16 minutes ou jusqu'à ce que les bords commencent à dorer. Refroidir sur une grille métallique.

$3\frac{1}{2}$ douzaines

Préparation : 15 minutes, excluant la réfrigération
Cuisson : 16 minutes par fournée

En haut à gauche : biscuits fourrés aux fruits; bonhommes de neige; biscuits chocorange; biscuits à la menthe et au chocolat

TARTE AUX FRUITS DES PIQUE-NIQUES

3/4 tasse (175 ml) de farine
1/4 tasse (50 ml) de son d'avoine
2 c. à table (25 ml) de sucre
1/4 tasse (50 ml) de margarine PARKAY
2 ou 3 c. à table (25 ou 50 ml) d'eau froide
1 enveloppe de gélatine sans saveur
1/2 tasse (125 ml) d'eau froide
1 contenant de 8 oz (240 g) produit de fromage à la crème fondu pasteurisé léger de MARQUE PHILADELPHIA
1/4 tasse (50 ml) de sucre ou 6 sachets de substitut
1 c. à thé (5 ml) de zeste de citron râpé
1/4 tasse (50 ml) de lait écrémé
2/3 tasse (150 ml) de d'abricots en conserve KRAFT
3/4 tasse (175 ml) de raisins en moitiés
3/4 tasse (175 ml) de tranches de prunes

- Préchauffer le four à 350°F (180°C).
- Mélanger la farine, le son d'avoine et 2 c. à table (25 ml) de sucre dans un bol de taille moyenne; y couper la margarine jusqu'à ce que le mélange forme une chapelure grossière. Asperger de 2 ou 3 c. à table (25 ou 50 ml) d'eau, en mélangeant légèrement à la cuiller pour humidifier. Former une balle. Couvrir; réfrigérer.
- Travailler la pâte sur une surface légèrement farineuse de façon à former un cercle de 11 po (27,5 cm). Placer dans un moule à tarte de 9 po (22 cm) à fond amovible. Tailler les bords; piquer le fond à la fourchette.
- Cuire de 16 à 18 minutes ou jusqu'à ce que la pâte soit dorée; refroidir.
- Dans une petite casserole, diluer la gélatine dans 1/2 tasse (125 ml) d'eau; remuer à feu doux jusqu'à dissolution complète. Refroidir.
- Bien mélanger le produit de fromage à la crème, 1/4 tasse (50 ml) de sucre et le zeste dans un grand bol à la vitesse moyenne d'un batteur électrique. Ajouter graduellement la gélatine et le lait, en mélangeant bien.
- Verser dans l'abaisse. Réfrigérer jusqu'à ce que la préparation soit ferme.
- Chauffer la confiture dans une petite casserole à feu doux jusqu'à ce qu'elle éclaircisse. En tartiner uniformément la tarte. Disposer les fruits sur la confiture. Retirer avec soin le rebord du moule.

14 portions

Préparation : 40 minutes, excluant la réfrigération
Cuisson : 18 minutes

Variante : Pour des tartelettes, préparer la pâte tel qu'indiqué. Diviser la pâte en quatorze portions égales et en faire des boulettes. Couvrir; réfrigérer. Rouler la pâte sur une surface légèrement farineuse pour former des cercles de 5 po (12 cm). Placer dans des moules à tartelettes de 3 po (7,5 cm); tailler l'excès de pâte. Piquer le fond à la fourchette. Cuire de 12 à 15 minutes ou jusqu'à ce que la pâte soit légèrement dorée; refroidir. Poursuivre la recette tel qu'indiqué.

BAVAROIS AUX FRAISES DES ALPES

1 1/2 tasse (375 ml) d'eau froide
2 paquets de 3 oz (90 g) de gélatine non-sucrée au citron de marque JELL-O
1 1/2 tasse (375 ml) d'eau froide
1 contenant de 8 oz (240 g) de produit de fromage à la crème fondu pasteurisé léger de MARQUE PHILADELPHIA
1 demi-litre de lait glacé ou de crème glacée aux fraises, ramollie
1 c. à table (15 ml) de jus de citron
2 tasses (500 ml) de tranches de framboises

- Porter 1 1/2 tasse (375 ml) d'eau à ébullition. Ajouter graduellement à la gélatine dans un bol de taille moyenne; remuer jusqu'à dissolution complète. Ajouter 1 1/2 tasse (375 ml) d'eau froide en remuant.
- Incorporer graduellement la gélatine au produit de fromage à la crème dans un grand bol, en mélangeant bien à la vitesse moyenne d'un batteur électrique.
- Ajouter le lait glacé et le jus de citron en remuant; retourner les fraises dans le mélange. Verser à la cuiller dans dix coupes à parfaits ou dans un bol de 1 1/2 litre. Réfrigérer.

12 portions

Préparation : 20 minutes, excluant la réfrigération

Tarte aux fruits des pique-niques

DESSERT FROID À LA LIMONADE

1½ tasse (375 ml) d'eau froide
1 paquet de 3 oz (90 g) de gélatine non-sucrée au citron de marque JELL-O
1 paquet de 8 oz (240 g) de fromage neufchâtel léger de MARQUE PHILADELPHIA, ramolli
⅓ tasse (75 ml) de concentré de limonade, décongelé
1 c. à thé (5 ml) de zeste de citron râpé
2 tasses (500 ml) de garniture fouettée COOL WHIP, décongelée

- Porter l'eau à ébullition. Ajouter graduellement à la gélatine dans un petit bol; remuer jusqu'à dissolution complète.
- Bien mélanger le fromage neufchâtel, le concentré de limonade et le zeste de citron dans un grand bol à la vitesse moyenne d'un batteur électrique. Ajouter la gélatine en remuant; réfrigérer jusqu'à ce que la préparation épaississe sans tout-à-fait prendre.
- Retourner la garniture fouettée dans le mélange; verser dans un moule de 6 tasses (1,5 l) légèrement huilé. Réfrigérer jusqu'à l'obtention d'une consistance ferme. Démouler. Garnir de tranches de pêches, de mûres et de feuilles de menthe fraîches, au goût.

8 portions

Préparation : 15 minutes, excluant la réfrigération

Variante : Utiliser huit moules de ½ tasse (125 ml) au lieu d'un moule de 6 tasses (1,5 l).

TABLETTES DE CHOCOLAT AUX CERISES

1 paquet de 8 oz (240 g) de fromage à la crème de MARQUE PHILADELPHIA, ramolli
¾ tasse (175 ml) de margarine PARKAY
1 tasse (250 ml) de sucre
2 oeufs
1 c. à thé (5 ml) de vanille
1¼ tasse (300 ml) de farine
½ c. à thé (2 ml) de bicarbonate de soude
½ c. à thé (2 ml) de sel
2 carrés de 1 oz (30 g) de chocolat non-sucré BAKER'S, fondu
1 tasse (250 ml) de cerises au marasquin hachées, bien égouttées
½ tasse (125 ml) de noix hachées
Garniture au chocolat

- Préchauffer le four à 350°F (180°C).
- Bien mélanger le fromage à la crème, la margarine et le sucre dans un grand bol à la vitesse moyenne d'un batteur électrique. Ajouter les oeufs et la vanille en mélangeant.
- Ajouter les ingrédients secs combinés; bien mélanger.
- Ajouter le chocolat en mélangeant. Ajouter les cerises et les noix en remuant.
- Étaler dans un moule à gâteau roulé de 15 x 10 x 1 po (38 x 25 x 2,5 cm) graissé et fariné.
- Cuire de 25 à 30 minutes ou jusqu'à ce que la préparation n'adhère pas à un cure-dents inséré en son centre. Décorer de garniture au chocolat. Couper en tablettes.

Environ 3 douzaines

GARNITURE AU CHOCOLAT

1 tasse (250 ml) de sucre à glacer tamisé
2 ou 3 c. à table (25 ou 50 ml) de lait
1 carré de 1 oz (30 g) de chocolat non-sucré BAKER'S, fondu
½ c. à thé (2 ml) de vanille

- Mélanger les ingrédients jusqu'à l'obtention d'une consistance homogène.

Préparation : 25 minutes
Cuisson : 30 minutes

GÂTEAU DES ANGES AU YOGOURT AUX FRAISES

1 contenant de 8 oz (240 g) de fromage à la crème doux aux fraises de MARQUE PHILADELPHIA
½ tasse (125 ml) de yogourt à la vanille
½ tasse (125 ml) de jus d'orange
1 c. à table (15 ml) de liqueur à l'orange (facultatif)
1 gâteau des anges en couronne de 10 po (25 cm), tranché
1 demi-litre de fraises, tranchées

- Passer le fromage à la crème, le yogourt, le jus et la liqueur au robot culinaire ou au mélangeur jusqu'à l'obtention d'une consistance homogène.
- Servir la sauce au fromage à la crème sur les tranches de gâteau; garnir de fraises.

12 portions

Préparation : 10 minutes

Dessert froid à la limonade

Nos gâteaux au fromage les plus populaires

GÂTEAU AU FROMAGE AU BEURRE D'ARACHIDE ET AU CHOCOLAT

1 tasse (250 ml) de chapelure de biscuits graham
$^{1}/_{2}$ tasse (125 ml) d'arachides finement hachées
$^{1}/_{3}$ tasse (75 ml) de margarine PARKAY fondue
2 c. à table (25 ml) de sucre
3 paquets de 8 oz (240 g) de fromage à la crème de MARQUE PHILADELPHIA, ramolli
$^{3}/_{4}$ tasse (175 ml) de sucre
2 c. à table (25 ml) de farine
1 c. à thé (5 ml) de vanille
3 oeufs
5 paquets de 1,8 oz (54 g) de bouchées de chocolat au lait et au beurre d'arachide, hachées (environ 1$^{1}/_{2}$ tasse - 375 ml)
1 c. à table (15 ml) de farine

- Préchauffer le four à 325°F (160°C).
- Mélanger la chapelure, les arachides, la margarine et 2 c. à table (25 ml) de sucre dans un petit bol. Foncer, jusqu'à 1$^{1}/_{2}$ po (3 cm) des bords, un moule à charnière de 9 po (22 cm). Cuire 10 minutes.
- Bien mélanger le fromage à la crème, $^{3}/_{4}$ tasse (175 ml) de sucre, 2 c. à table (25 ml) de farine et la vanille dans un grand bol à la vitesse moyenne d'un batteur électrique.
- Incorporer les oeufs, un à la fois, en mélangeant bien après chaque addition.
- Agiter les bouchées chocolat-arachides hachées et 1 c. à table (15 ml) de farine dans un petit bol. Ajouter le mélange au fromage à la crème en remuant. Verser dans l'abaisse.
- Cuire 1 heure. Dégager le gâteau du rebord du moule; refroidir avant de retirer le rebord. Réfrigérer.

10 à 12 portions

Préparation : 20 minutes, excluant la réfrigération
Cuisson : 1 heure

GÂTEAU AU FROMAGE AUX AMANDES ET AUX FRAMBOISES

Ce dessert facile à préparer et vite cuisiné peut être préparé à l'avance et apporte une touche d'élégance à vos réception.

1$^{1}/_{4}$ tasse (300 ml) de chapelure de biscuits graham
$^{1}/_{4}$ tasse (50 ml) de margarine PARKAY, fondue
$^{1}/_{4}$ tasse (50 ml) de sucre
2 paquets de 8 oz (240 g) de fromage à la crème de MARQUE PHILADELPHIA, ramolli
1 boîte de 16 oz (480 g) de glaçage à la vanille tartinable
1 c. à table (15 ml) de jus de citron
1 c. à table (15 ml) de zeste de citron râpé
3 tasses (750 ml) de garniture fouettée COOL WHIP, décongelée
Framboises
Amandes tranchées

- Mélanger la chapelure, la margarine et le sucre dans un petit bol; foncer, jusqu'à $^{1}/_{2}$ po (1 cm) des côtés, un moule à charnière ou d'un moule à tarte de 9 po (22 cm), en comprimant. Réfrigérer.
- Bien mélanger le fromage à la crème, le glaçage ainsi que le jus et le zeste de citron dans un grand bol à la vitesse moyenne d'un batteur électrique.
- Retourner la garniture fouettée dans le mélange; verser dans l'abaisse. Réfrigérer jusqu'à l'obtention d'une consistance ferme.
- Retirer le rebord du moule avec soin au moment de servir. Garnir le gâteau de framboises, d'amandes et de feuilles de menthe fraîche, au goût.

10 à 12 portions

Préparation : 30 minutes, excluant la réfrigération

Gâteau au fromage aux amandes et aux framboises

GÂTEAU AU FROMAGE ET AUX PÊCHES DE LA SAVANNE

Un autre fabuleux gâteau au fromage à base de fromage à la crème «PHILLY».

1 tasse (250 ml) de chapelure de biscuits graham
3 c. à table (50 ml) de margarine PARKAY, fondue
2 c. à table (50 ml) de sucre ou 3 sachets de substitut
1 enveloppe de gélatine sans saveur
½ tasse (125 ml) d'eau froide
1 paquet de 8 oz (240 g) de produit de fromage à la crème fondu pasteurisé léger de MARQUE PHILADELPHIA
3 c. à table (50 ml) de sucre ou 4 sachets de substitut
⅛ c. à thé (0,5 ml) de gingembre moulu
½ tasse (125 ml) de lait écrémé
2 contenants de 8 oz (240 g) de yogourt aux pêches réduit en matière grasses
2 pêches fraîches, dénoyautées, pelées, tranchées
1 c. à table (15 ml) de jus de citron

- Mélanger la chapelure, la margarine et 2 c. à table (25 ml) de sucre dans un petit bol; foncer un moule à charnière de 9 po (22 cm), en comprimant. Réfrigérer.
- Dans une petite casserole, diluer la gélatine dans l'eau; remuer à feu doux jusqu'à dissolution complète.
- Bien mélanger le produit de fromage à la crème, 3 c. à table (50 ml) de sucre et le gingembre dans un grand bol à la vitesse moyenne d'un mélangeur électrique. Ajouter graduellement la gélatine et le lait; bien mélanger. Réfrigérer jusqu'à ce que la préparation épaississe, sans tout-à-fait prendre.
- Retourner le yogourt dans le mélange; verser sur l'abaisse. Réfrigérer jusqu'à l'obtention d'une consistance ferme.
- Retirer le rebord du moule avec soin au moment de servir. Agiter les tranches de pêches et le jus de citron; égoutter. Garnir le gâteau de pêches.

8 portions

Préparation : 30 minutes, excluant la réfrigération

CARRÉS DE GÂTEAU AU FROMAGE MARBRÉ

1 tasse (250 ml) de farine
1 tasse (250 ml) de noisettes hachées
½ tasse (125 ml) de margarine PARKAY
⅓ tasse (75 ml) de cassonade tassée
¼ c. à thé (1 ml) d'extrait d'amande
3 paquets de 8 oz (240 g) de fromage à la crème de MARQUE PHILADELPHIA, ramolli
¾ tasse (175 ml) de sucre semoule
1 c. à table (15 ml) de liqueur à l'orange
1 c. à thé (5 ml) de vanille
3 oeufs
1 carré de 1 oz (30 g) de chocolat non-sucré BAKER'S, fondu

- Préchauffer le four à 325°F (160°C).
- Bien mélanger la farine, les noisettes, la margarine, la cassonade et l'extrait d'amande dans un petit bol à la vitesse moyenne d'un batteur électrique. Foncer un plat carré de 9 po (22 cm) allant au four, en comprimant. Cuire de 8 à 10 minutes ou jusqu'à ce que la préparation soit légèrement dorée.
- Bien mélanger le fromage à la crème, le sucre semoule, la liqueur et la vanille dans un grand bol à la vitesse moyenne d'un batteur électrique.
- Incorporer les oeufs, un à la fois, en mélangeant bien après chaque addition.
- Mélanger le chocolat fondu dans 1 tasse (250 ml) de pâte; verser le reste de la pâte sur l'abaisse. Mettre la pâte chocolatée dans un tube pâtissier. Garnir la pâte de 6 lanières de chocolat; couper la pâte plusieurs fois avec un couteau pour obtenir un effet marbré.
- Cuire de 30 à 35 minutes ou jusqu'à ce que la préparation soit prise. Réfrigérer.

15 portions

Préparation : 15 minutes, excluant la réfrigération
Cuisson : 35 minutes

Pour ramollir le fromage à la crème, cuire chaque paquet emballé dans un bol à l'INTENSITÉ MOYENNE (50 %) du micro-ondes durant 30 secondes.

Carrés de gâteau au fromage marbré

GÂTEAU AU FROMAGE ET AUX AMANDES

1 tasse (250 ml) de chapelure de biscuits sablés (environ 15 biscuits)
3 c. à table (50 ml) de margarine PARKAY, fondue
1 c. à table (15 ml) de sucre semoule
3 paquet de 8 oz (240 g) de fromage à la crème PHILADELPHIA, ramolli
2/3 tasse (150 ml) de sucre semoule
1/2 c. à thé (2 ml) de vanille
3 oeufs
1/2 tasse (125 ml) de crème aigre BREAKSTONE'S
1 paquet de 6 oz (180 g) de croustilles aux amandes
1 c. à table (15 ml) de farine
1 tasse (250 ml) biscuits sablés écrasés (environ 13 biscuits)
1/3 tasse (75 ml) de cassonade tassée
1/4 tasse (50 ml) de margarine PARKAY
1 tasse (250 ml) d'amandes hachées
1/4 tasse (50 ml) de garniture au caramel KRAFT

- Préchauffer le four à 350°F (180°C).
- Mélanger 1 tasse (250 ml) de chapelure, 3 c. à table (50 ml) de margarine et 1 c. à table (15 ml) de sucre semoule dans un petit bol. Foncer un moule à charnière de 9 po (22 cm), en comprimant. Cuire 10 minutes.
- Bien mélanger le fromage à la crème, 2/3 tasse (150 ml) de sucre semoule et la vanille dans un grand bol à la vitesse moyenne d'un batteur électrique.
- Incorporer les oeufs, un à la fois, en mélangeant bien après chaque addition. Ajouter la crème aigre en mélangeant.
- Agiter les croustilles et la farine dans un petit bol; incorporer au mélange au fromage à la crème en remuant. Verser sur l'abaisse.
- Mélanger 1 tasse (250 ml) de biscuits écrasés et la cassonade; couper 1/4 tasse (50 ml) margarine dans le mélange jusqu'à ce qu'il forme une chapelure grossière. Ajouter les amandes en remuant. Répandre sur le mélange au fromage à la crème.
- Cuire 1 heure 5 minutes. Décorer de garniture au caramel. Poursuivre la cuisson 10 minutes. Dégager le gâteau du rebord du moule; refroidir avant de retirer le rebord. Réfrigérer.

10 à 12 portions

Préparation : 30 minutes, excluant la réfrigération
Cuisson : 1 heure 15 minutes

GÂTEAU AU FROMAGE BISCUITS ET CRÈME

Tous raffoleront de cette combinaison de crème et de biscuits... un succès assuré!

1 tasse (250 ml) de chapelure de biscuits sandwich au chocolat (environ 12 biscuits)
1 c. à table (15 ml) de margarine PARKAY, fondue
3 paquets de 8 oz (240 g) de fromage à la crème de MARQUE PHILADELPHIA, ramolli
1 tasse (250 ml) de sucre
2 c. à table (25 ml) de farine
1 c. à thé (5 ml) de vanille
3 oeufs
1 tasse (250 ml) de biscuits sandwich au chocolat grossièrement hachés (environ 8 biscuits)

- Préchauffer le four à 325°F (160°C).
- Mélanger la chapelure et la margarine dans un petit bol. Foncer d'un moule à charnière de 9 po (22 cm), en comprimant. Cuire 10 minutes.
- Bien mélanger le fromage à la crème, le sucre, la farine et la vanille dans un grand bol à la vitesse moyenne d'un batteur électrique.
- Ajouter les oeufs, un à la fois, en mélangeant bien après chaque addition. Retourner les biscuits hachés dans le mélange. Verser sur l'abaisse.
- Cuire 1 heure 5 minutes. Dégager le gâteau du rebord du moule; refroidir avant de retirer le rebord. Réfrigérer. Garnir de garniture fouettée COOL WHIP décongelée, de biscuits sandwich au chocolat, coupés en deux, et de feuilles de menthe fraîche, au goût.

10 à 12 portions

Préparation : 25 minutes, excluant la réfrigération
Cuisson : 1 heure 5 minutes

Gâteau au fromage biscuits et crème

GÂTEAU AU FROMAGE AUX TRUFFES

1 tasse (250 ml) de chapelure de gaufrettes en chocolat (environ 20 gaufrettes)
3 c. à table (50 ml) de margarine PARKAY, fondue
2 paquets de 8 oz (240 g) de fromage à la crème de MARQUE PHILADELPHIA, ramolli
2/3 tasse (150 ml) de sucre
2 oeufs
1 tasse (250 ml) de brisures de vrai chocolat mi-sucré BAKER'S fondu
1/2 c. à thé (2 ml) de vanille
Sauce crémeuse aux framboises

- Préchauffer le four à 350°F (180°C).
- Mélanger la chapelure et la margarine dans un petit bol; foncer un moule à charnière de 9 po (22 cm), en comprimant. Cuire 10 minutes.
- Bien mélanger le fromage à la crème et le sucre dans un grand bol à la vitesse moyenne d'un mélangeur électrique.
- Incorporer les oeufs, un à la fois, en mélangeant bien après chaque addition.
- Ajouter les brisures de chocolat fondu et la vanille en mélangeant; verser sur l'abaisse.
- Cuire 45 minutes. Dégager le gâteau du rebord du moule; refroidir avant de retirer le rebord. Réfrigérer.
- Verser de la sauce crémeuse aux framboises sur chaque assiette avec une cuiller. Disposer les morceaux de gâteau sur la sauce. Garnir au goût.

10 à 12 portions

SAUCE CRÉMEUSE AUX FRAMBOISES

1 paquet de 10 oz (300 g) de framboises dans un sirop léger de BIRDS EYE, décongelées
3 c. à table (50 ml) de crème fraîche à fouetter

- Réduire les framboises en purée au robot culinaire ou au mélangeur. Égoutter. Ajouter la crème en remuant.

Préparation : 30 minutes, excluant la réfrigération
Cuisson : 45 minutes

Une fine couche de sucre à glacer ou de cacao constitue une garniture agréable pour les gâteaux au fromage ou les biscuits en tablettes. Placez un napperon de papier ou des lanières de papier sur le dessert. Tamiser le sucre à glacer sur le dessert au moment de servir. Retirer le papier avec soin.

MOKA AU FROMAGE CROUSTILLANT

Ce gâteau sophistiqué est composé d'une croûte croustillante de gaufrettes de chocolat et de noix, d'une riche garniture au fromage à la crème et au moka ainsi que d'une garniture délicate et crémeuse au café pour couronner le tout.

1 1/4 tasse (300 ml) de chapelure de gaufrettes de chocolat (environ 25 gaufrettes)
1/3 tasse (75 ml) de margarine PARKAY, fondue
1/3 tasse (75 ml) de noix moulues
1/4 tasse (50 ml) de sucre semoule
1 paquet de 8 oz (240 g) de fromage à la crème de MARQUE PHILADELPHIA, ramolli
1/2 tasse (125 ml) de cassonade tassée
1 carré de 1 oz (30 g) de chocolat non-sucré BAKER'S, fondu
2 c. à thé (10 ml) de granules de café instantané MAXWELL HOUSE
1 contenant de 16 oz (480 g) de garniture fouettée COOL WHIP, décongelée

- Mélanger la chapelure, la margarine, les noix et le sucre semoule dans un petit bol; garnir de ce mélange le fond et les côtés d'une assiette à tarte de 9 po (22 cm), en comprimant. Réfrigérer.
- Bien mélanger le fromage à la crème, la cassonade, le chocolat et le café dans un grand bol à la vitesse moyenne d'un batteur électrique.
- Retourner 3 tasses (750 ml) de garniture fouettée dans le mélange; verser sur l'abaisse. Réfrigérer jusqu'à l'obtention d'une consistance ferme.
- Garnir du reste de la garniture fouettée.

8 portions

Préparation : 25 minutes, excluant la réfrigération

Gâteau au fromage aux truffes

GÂTEAU DE RIZ AU FROMAGE

Une façon renouvelée de servir une recette familiale très populaire, le riz au lait... en gâteau!

1 tasse (250 ml) de chapelure de biscuits graham
3 c. à table (50 ml) de sucre
3 c. à table (50 ml) de margarine PARKAY, fondue
4 paquets de 8 oz (240 g) de fromage à la crème de MARQUE PHILADELPHIA, ramolli
1 tasse (250 ml) de sucre
1 c. à table (15 ml) de vanille
½ c. à thé (2 ml) de cannelle moulue
4 oeufs
1½ tasse (375 ml) de riz instantané MINUTE RICE cuit
Sauce aux baies

- Préchauffer le four à 350°F (180°C).
- Mélanger la chapelure, 3 c. à table (50 ml) de sucre et la margarine dans un petit bol. Foncer un moule à charnière de 9 po (22 cm), en comprimant. Cuire 10 minutes.
- Bien mélanger le fromage à la crème, 1 tasse (250 ml) de sucre, la vanille et la cannelle dans un grand bol à la vitesse moyenne d'un batteur électrique.
- Incorporer les oeufs, un à la fois, en mélangeant bien après chaque addition. Ajouter le riz en remuant. Verser sur l'abaisse.
- Cuire 1 heure 5 minutes. Dégager le gâteau du rebord du moule; refroidir avant de retirer le rebord. Réfrigérer. Servir avec la sauce aux baies.

10 à 12 portions

SAUCE AUX BAIES

1 pot de 14,11 oz (425 g) de baies
2 c. à table (25 ml) d'eau froide

- Réduire les baies en purée au robot culinaire ou au mélangeur. Égoutter. Ajouter l'eau en remuant.

Préparation : 35 minutes, excluant la réfrigération
Cuisson : 1 heure 5 minutes

PETITS GÂTEAUX AU FROMAGE ET AUX AMANDES

Il est pratique de tenir provision de ces petits gâteaux pour accommoder vos visiteurs de dernière minute... ces gâteaux se conservent un mois au congélateur.

1 tasse (250 ml) d'amandes moulues
2 c. à table (25 ml) de margarine PARKAY, fondue
1 enveloppe de gélatine sans saveur
¼ tasse (50 ml) d'eau froide
2 contenants de 8 oz (240 g) de produit de fromage à la crème fondu pasteurisé léger de MARQUE PHILADELPHIA
¾ tasse (175 ml) de lait écrémé
½ tasse (125 ml) de sucre ou 12 sachets de substitut
¼ tasse (50 ml) d'extrait d'amande
3 tasses (750 ml) de tranches de pêches pelées

- Mélanger les amandes et la margarine dans un petit bol. Foncer uniformément de ce mélange douze moules à muffins recouverts de papier, en comprimant.
- Dans une petite casserole, diluer la gélatine dans l'eau; dissoudre à feu doux en remuant.
- Bien mélanger le produit de fromage à la crème, le lait, le sucre et l'extrait d'amande dans un grand bol à la vitesse moyenne d'un batteur électrique. Ajouter la gélatine en remuant. Verser dans les moules; congeler jusqu'à ce que la préparation soit ferme.
- Réduire les pêches en purée au robot culinaire ou au mélangeur. Verser à la cuiller dans des assiettes.
- Retirer les petits gâteaux du congélateur 10 minutes avant de servir. Retirer le papier. Renverser les gâteaux sur les assiettes. Garnir de tranches de pêches supplémentaires, de framboises et de feuilles de menthe fraîche, au goût.

12 portions

Préparation : 20 minutes, excluant la congélation et l'attente

Remarque : On peut sucrer la purée de pêche, au goût.

Petits gâteaux au fromage et aux amandes

GÂTEAU AU FROMAGE CLASSIQUE

1/3 tasse (75 ml) de margarine PARKAY
1/3 tasse (75 ml) de sucre
1 oeuf
1 1/4 tasse (300 ml) de farine
2 paquets de 8 oz (240 g) de fromage à la crème de MARQUE PHILADELPHIA, ramolli
1/2 tasse (125 ml) de sucre
1 c. à table (15 ml) de jus de citron
1 c. à thé (5 ml) de zeste de citron râpé
1/2 c. à thé (2 ml) de vanille
3 oeufs
1 tasse (250 ml) de crème aigre BREAKSTONE'S
1 c. à table (15 ml) de sucre
1 c. à thé (5 ml) de vanille

- Préchauffer le four à 450°F (230°C).
- Battre la margarine et 1/3 tasse (75 ml) de sucre dans un petit bol à la vitesse moyenne d'un batteur électrique jusqu'à ce que le mélange soit léger et mousseux; ajouter un oeuf en mélangeant. Ajouter la farine; bien mélanger.
- Foncer de cette pâte, jusqu'à une hauteur de 1 1/2 po (3 cm) des bords, un moule à charnière de 9 po (22 cm). Cuire 5 minutes. Retirer l'abaisse du four. Réduire la température du four à 325°F (160°C).
- Bien mélanger le fromage à la crème, 1/2 tasse (125 ml) de sucre, le jus et le zeste de citron ainsi que 1/2 c. à thé (2 ml) de vanille dans un grand bol à la vitesse moyenne d'un batteur électrique.
- Ajouter les oeufs, un à la fois, en mélangeant bien après chaque addition; verser dans l'abaisse.
- Cuire 50 minutes à 325°F (160°C).
- Remuer la crème aigre, 1 c. à table (15 ml) de sucre et 1 c. à thé (5 ml) de vanille dans un petit bol. Étendre uniformément sur le gâteau; poursuivre la cuisson durant 10 minutes. Dégager le gâteau du rebord du moule; refroidir avant de retirer le rebord. Réfrigérer.
- Servir avec des fraises BIRDS EYE dans leur sirop, décongelées, au goût.

10 à 12 portions

Préparation : 30 minutes, excluant la réfrigération
Cuisson : 1 heure

GÂTEAU AU FROMAGE AU FUDGE CHAUD PARSEMÉ D'ARACHIDES

1 1/2 tasse (375 ml) de chapelure de biscuits graham
1/3 tasse (75 ml) de margarine PARKAY, fondue
1/4 tasse (50 ml) de sucre semoule
1 paquet de 8 oz (240 g) de fromage à la crème de MARQUE PHILADELPHIA, ramolli
1 tasse (250 ml) de sucre à glacer
1/3 tasse (75 ml) de beurre d'arachides
3 tasses (750 ml) de garniture fouettée COOL WHIP, décongelée
1/4 tasse (50 ml) d'arachides hachées
1/4 tasse (50 ml) de garniture au fudge chaude KRAFT, chauffée

- Préchauffer le four à 350°F (180°C).
- Remuer la chapelure, la margarine et le sucre semoule dans un petit bol; foncer, jusqu'à une hauteur de 1/2 po (1 cm) des bords, un moule à charnière de 9 po (22 cm), en comprimant. Cuire 10 minutes. Refroidir.
- Bien mélanger le fromage à la crème, le sucre à glacer et le beurre d'arachides dans un grand bol à la vitesse moyenne d'un batteur électrique.
- Retourner la garniture fouettée dans le mélange; verser dans l'abaisse. Parsemer d'arachides. Réfrigérer jusqu'à l'obtention d'une consistance ferme.
- Retirer le rebord du moule avec soin et garnir le gâteau au moment de servir.

10 à 12 portions

Préparation : 15 minutes, excluant la réfrigération

Un gâteau au fromage est cuit lorsque le dessus de la pâte perd son aspect luisant.

Pour minimiser le fendillement, laisser refroidir le gâteau au fromage durant 5 minutes. Insérer une mince spatule métallique entre le gâteau ou la croûte et le rebord du moule; tourner la spatule autour du rebord intérieur pour dégager le gâteau.

Gâteau au fudge chaud parsemé d'arachides

GÂTEAU AU FROMAGE À L'AMARETTO ET AUX PÊCHES

3 c. à table (50 ml) de margarine PARKAY
1/3 tasse (75 ml) de sucre
1 oeuf
3/4 tasse (175 ml) de farine
3 paquets de 8 oz (240 g) de fromage à la crème de MARQUE PHILADELPHIA, ramolli
3/4 tasse (175 ml) de sucre
3 c. à table (50 ml) de farine
3 oeufs
1 boîte de 16 oz (480 g) de pêches en moitiés, égouttées, réduites en purée
1/4 tasse (50 ml) de liqueur d'amande

- Préchauffer le four à 450°F (230°C).
- Battre la margarine et 1/3 tasse (75 ml) de sucre dans un petit bol à la vitesse moyenne d'un batteur électrique jusqu'à ce que le mélange soit léger et mousseux. Ajouter un oeuf en mélangeant. Ajouter 3/4 tasse (175 ml) de farine; bien mélanger.
- Foncer un moule à charnière de 9 po (22 cm). Cuire 10 minutes.
- Bien mélanger le fromage à la crème, 3/4 tasse (175 ml) de sucre et 3 c. à table (50 ml) de farine dans un grand bol à la vitesse moyenne d'un batteur électrique.
- Incorporer trois oeufs, un à la fois, en mélangeant bien après chaque addition. Ajouter les pêches et la liqueur; bien mélanger. Verser sur l'abaisse.
- Cuire 10 minutes. Réduire la température du four à 250°F (120°C). Poursuivre la cuisson durant 1 heure 5 minutes. Dégager le gâteau du rebord du moule; refroidir avant de retirer le rebord. Réfrigérer.

10 à 12 portions

Préparation : 25 minutes, excluant la réfrigération
Cuisson : 1 heure 5 minutes

GÂTEAU AU FROMAGE, AUX CARRÉS DE CHOCOLAT ET CARAMEL

1 paquet de 8 oz (240 g) de préparation pour carrés au chocolat
1 oeuf
1 c. à table (15 ml) d'eau froide
1 sac de 14 oz (420 g) de caramels KRAFT
1 boîte de 5 oz (150 g) de lait condensé
2 paquets de 8 oz (240 g) de fromage à la crème PHILADELPHIA, ramolli
1/2 tasse (125 ml) de sucre
1 c. à thé (5 ml) de vanille
2 oeufs
Garniture au chocolat KRAFT

- Préchauffer le four à 350°F (180°C).
- Bien mélanger la préparation pour carrés au chocolat, un oeuf et l'eau dans un bol de taille moyenne. Foncer un plat carré de 9 po (22 cm) allant au four. Cuire 25 minutes.
- Dans une casserole de 1 1/2 litre, fondre les caramels dans le lait à feu doux, en remuant fréquemment, jusqu'à l'obtention d'une consistance homogène. Réserver 1/3 tasse (75 ml) de mélange au caramel pour la garniture. Verser le reste du mélange au caramel sur l'abaisse.
- Bien mélanger le fromage à la crème, le sucre et la vanille dans un grand bol à la vitesse moyenne d'un batteur électrique.
- Ajouter deux oeufs, un à la fois, en mélangeant bien après chaque addition. Verser sur le mélange au caramel dans le moule.
- Cuire 40 minutes; refroidir. Réfrigérer.
- Chauffer le mélange réservé dans une petite casserole. Verser à la cuiller sur les portions de gâteau au fromage; garnir de chocolat.

12 à 16 portions

Préparation : 30 minutes, excluant la réfrigération
Cuisson : 40 minutes

Variante : Employer un moule à charnière de 9 po (22 cm) au lieu d'un plat carré. Dégager le gâteau du rebord du moule avant de refroidir.

Micro-ondes : Pour fondre les caramels, les cuire avec le lait dans un petit bol profond en verre à HAUTE INTENSITÉ de 2 1/2 à 3 1/2 minutes ou jusqu'à ce que la sauce soit homogène lorsqu'on la remue, en remuant après chaque minute.

Gâteau au fromage, aux carrés de chocolat et caramel

GÂTEAU AU FROMAGE DES FÊTES AU LAIT DE POULE

2 tasses (500 ml) de chapelure de biscuits graham à la vanille (environ 56 biscuits)
6 c. à table (100 ml) de margarine PARKAY, fondue
1 c. à thé (5 ml) de muscade moulue
4 paquets de 8 oz (240 g) de fromage à la crème de MARQUE PHILADELPHIA, ramolli
1 tasse (250 ml) de sucre
3 c. à table (50 ml) de farine
3 c. à table (50 ml) de rhum
1 c. à thé (5 ml) de vanille
2 oeufs
1 tasse (250 ml) de crème à fouetter
4 jaunes d'oeufs

- Préchauffer le four à 325°F (160°C).
- Mélanger la chapelure, la margarine et la muscade dans un petit bol. Foncer, jusqu'à une hauteur de 1 1/2 po (3 cm) du rebord, un moule à charnière de 9 po (22 cm), en comprimant. Cuire 10 minutes.
- Bien mélanger le fromage à la crème, le sucre, la farine, le rhum et la vanille dans un grand bol à la vitesse moyenne d'un batteur électrique.
- Incorporer deux oeufs entiers, un à la fois, en mélangeant bien après chaque addition. Incorporer la crème et les jaunes d'oeufs. Verser dans l'abaisse.
- Cuire 1 heure 15 minutes. Dégager le gâteau du rebord du moule; refroidir avant de retirer le rebord. Réfrigérer. Saupoudrer de muscade moulue supplémentaire, au goût.

10 à 12 portions

Préparation : 20 minutes, excluant la réfrigération
Cuisson : 1 heure 15 minutes

GÂTEAU AU FROMAGE ET AUX AGRUMES

Une réjouissante garniture de fruits variés donne de l'attrait à ce gâteau au fromage traditionnel agrémenté d'une touche d'orange.

1 tasse (250 ml) de chapelure de biscuits graham
1/3 tasse (75 ml) de cassonade tassée
1/4 tasse (50 ml) de margarine PARKAY, fondue
4 paquets de 8 oz (240 g) de fromage à la crème de MARQUE PHILADELPHIA, ramolli
1 tasse (250 ml) de sucre
4 oeufs
2 c. à table (25 ml) de zeste d'orange râpé
Fruits frais variés

- Préchauffer le four à 325°F (160°C).
- Remuer la chapelure, le sucre et la margarine dans un petit bol; foncer un moule à charnière de 9 po (22 cm), en comprimant. Cuire 10 minutes.
- Bien mélanger le fromage à la crème et le sucre dans un grand bol à la vitesse moyenne d'un batteur électrique.
- Incorporer les oeufs, un à la fois, en mélangeant bien après chaque addition. Ajouter le zeste; verser sur l'abaisse.
- Cuire 50 minutes.
- Dégager le gâteau du rebord du moule; refroidir avant de retirer le rebord. Réfrigérer.
- Garnir de fruits et, au goût, de zestes de limette.

10 à 12 portions

Préparation : 20 minutes, excluant la réfrigération
Cuisson : 50 minutes

La carambole est un fruit de toute beauté ayant la forme d'une étoile. Elle peut être légèrement âpre ou sucrée. Choisir les fruits fermes et brillants et les laisser mûrir à la température de la pièce. Le brunissement des extrémités constitue un signe que le fruit est mûr. Trancher la carambole sans la peler et de façon a obtenir des étoiles.

Gâteau au fromage et aux agrumes

GÂTEAU AU FROMAGE À LA GUIMAUVE ET AU CHOCOLAT

1¼ tasse (300 ml) de chapelure de biscuits graham
⅓ tasse (75 ml) de margarine PARKAY, fondue
¼ tasse (50 ml) de sucre
1 contenant de 12 oz (360 g) de fromage à la crème doux de MARQUE PHILADELPHIA
5 tablettes de chocolat au lait de 1,45 oz (45 g), finement hachées
1 tablette de chocolat au lait de 1,45 oz (45 g), finement hachée
1 tasse (250 ml) de guimauves miniatures KRAFT
1½ tasse (375 ml) de garniture fouettée COOL WHIP, décongelée

- Remuer la chapelure, la margarine et le sucre dans un petit bol; garnir de ce mélange le fond et jusqu'à une hauteur de 1 po (2,5 cm) du rebord d'un moule à charnière de 9 po (22 cm).
- Bien mélanger le fromage à la crème et le chocolat fondu dans un petit bol; verser dans l'abaisse. Parsemer de chocolat haché.
- Retourner les guimauves dans la garniture fouettée; étendre sur le gâteau. Réfrigérer.

10 à 12 portions

Préparation : 15 minutes, excluant la réfrigération

GÂTEAU AU FROMAGE À LA PURÉE DE POMMES ET AU CITRON

1 tasse (250 ml) de chapelure de biscuits secs au gingembre (environ 15 biscuits)
¼ tasse (50 ml) de margarine PARKAY, fondue
3 paquets de 8 oz (240 g) de fromage à la crème de MARQUE PHILADELPHIA, ramolli
⅔ tasse (150 ml) de sucre
3 c. à table (50 ml) de farine
3 oeufs
1 tasse (250 ml) de purée de pommes
½ c. à thé (2 ml) de zeste de citron râpé

- Préchauffer le four à 350°F (180°C).
- Mélanger la chapelure et la margarine dans un petit bol. Foncer un moule à charnière de 9 po (22 cm). Cuire 10 minutes.
- Bien mélanger le fromage à la crème, le sucre et la farine dans un grand bol à la vitesse moyenne d'un batteur électrique.
- Incorporer les oeufs, un à la fois, en mélangeant bien après chaque addition. Ajouter la purée de pommes et le zeste de citron. Verser sur l'abaisse.
- Cuire 1 heure 15 minutes. Dégager le gâteau du rebord du moule; refroidir avant de retirer le rebord. Réfrigérer.

10 à 12 portions

Préparation : 25 minutes, excluant la réfrigération
Cuisson : 1 heure 15 minutes

PETITS GÂTEAUX AU FROMAGE, AU CHOCOLAT ET À LA BANANE

12 biscuits au chocolat fourrés à la crème
1 paquet de 8 oz (240 g) de fromage à la crème PHILADELPHIA, ramolli
⅓ tasse (75 ml) de sucre
1 c. à thé (5 ml) de jus de citron
2 oeufs
½ tasse (125 ml) de banane mûre réduite en purée
2 oz (60 g) de chocolat sucré BAKER'S GERMAN'S, en morceaux
1½ c. à table (22 ml) d'eau froide
1½ c. à table (22 ml) de margarine PARKAY
Tranches de banane

- Préchauffer le four à 350°F (180°C).
- Placer un biscuit au fond de douze moules à muffins garnis de papier.
- Bien mélanger le fromage à la crème, le sucre et le jus dans un grand bol à la vitesse moyenne d'un batteur électrique.
- Incorporer les oeufs, un à la fois, en mélangeant bien après chaque addition. Ajouter la purée de bananes; verser sur les biscuits en remplissant chaque moule aux trois-quarts.
- Cuire de 15 à 20 minutes ou jusqu'à l'obtention d'une consistance ferme.
- Fondre le chocolat avec l'eau dans une petite casserole à feu doux, en remuant constamment. Retirer du feu; y fondre la margarine en remuant. Refroidir.
- Garnir les gâteaux de tranches de banane avant de servir; garnir de sauce au chocolat.

12 portions

Préparation : 15 minutes
Cuisson : 20 minutes

Index